-Scene-

Ulrich Hoppe

Von Anmache bis Zoff

Ein Wörterbuch der Szene-Sprache

Originalausgabe

Wilhelm Heyne Verlag
München

HEYNE-BUCH Nr. 18/9
im Wilhelm Heyne Verlag, München

Der Inhalt

Herzlich gewidmet:
Mox, ›Frau Erika‹, Glotzen-Armin und
Fred & Marisa: ole!

1
Vorwörter

Dieses Buch soll Lust machen. Den Hintern hochzukriegen und um die Häuser zu gehen.

Die Welt der Scene, Szene, der Subkultur, der Freaks in allen Spontifarben ist durchgehend geöffnet.

Geil dich rein! Power dich hin, wo noch gesprochen und nicht verlautbart wird.

Dieses Buch soll dir Lust machen, deine gefrorenen Lippen, taubgesülzten Ohren, blindgeflimmerten Augen aufzumachen. Quatschengehen. Schnabulieren. Vokabulieren. Laß die Worte wie die bunten Luftballons fliegen, blase sie auf und pieks mal rein.

Dieses Buch soll keine exotische Landkarte von einem geheimnisumwitterten Niemandsland sein.

Dieses Buch zeigt nicht mit dem hämischen Finger auf andere, die du vielleicht nicht verstehst oder nicht verstehen willst, weil sie dich in Frage stellen.

Dieses Buch soll keine Vorurteile betonieren.

Es soll dich lebendig machen.

Sprache, die der Wind und die Café- und Kneipenventilatoren in die Lande und Herzen wehen, kommt nicht via Killersatellit der Unterhaltungsindustrie, nicht durch leblose Fernseh-, Radio- und Kabelkanäle, auch nicht aus den Nobeltempeln der Kunst und Literatur, erst recht nicht aus dem Morgenblatt, sondern ausschließlich aus dem Sub-Topf derer, die sich in den Szene-Treffs zusammenhocken.

Der Kosmos der Sssssiehn ist größer geworden.

Die »Hamburger Szene« war eine klevere Erfindung. Die Drogen-Scene ist noch immer bittere Realität, aber jetzt schwappt der Sub bis vor deine Haustür.

Sei jung, egal wie alt du bist, spiele mit den Youngsters. Fang ihre geile Spreche auf, wirf zurück!

Mit jeder Wow-kabel fängt dein Herz wieder zu schlagen an. Deine Seele lächelt dich frei.

Dieses Buch soll deine Herzmassage, dein Schrittmacher sein.

Die Scene braucht dich nicht. Aber du sollst spüren, daß du die Scene brauchst.

Buche dieses Buch. Es ist dein Ticket durch Beton, Plastik, Glas, Stahl und Packeis.

Ulrich Hoppe

2

Von Anmache bis Zoff –

Szene-Deutsch

von A bis Zett

A

Ⓐ (Buchstabe) mit Kreis drum ist keine U-, S-, Straßen-oder Eisenbahn-Linie, bedeutet auch nicht »Ausländer«, wo es an Tür, Tor, Wand, Jackenrevers, am tüv-fälligen R4 oder auf'm Klo prangt. Wer dieses magische Ⓐ bis heute nicht getickt hat, kann es sich ersparen, jetzt auf einmal damit anzufangen. Ⓐ (siehe Anarchie) ist out, läuft neuerdings unter: siehe libertär

sich einen **abblödeln**   herumjoken

abbürsten   prügeln, fertigmachen

abdriften   Von Bhagwan zum Backzwang, von irgendwelchen Inhalten oder vom Kurs abkommen

sich **abdröhnen**   Kopfhörer, Walkman rauf, den Sound rein und wegfliegen. Geht auch mit trocknen und feuchten Drogen

abfackeln   flambieren, zündeln, hinterher 112 wählen

abfahren auf   Wow-Zustand. »Er fährt voll auf Sabine ab.« Abfahrer(in). »Die Abfahrer«, Muß-Film aus der Kohlenpott-Ssssiehn einen **Abflug machen**   die Kurve kratzen

abfuck   totalst ist z. B. die Musik im ARD-Nachtprogramm: saft- und funlos, sozusagen Zombie-Scheiße, absolute tote Hose. Wie abgefuckt

Abführmittel   polizeiliches Handwerkszeug

sich **abfüllen**   sich den Arsch vollsaufen. Die große Abfülle: es ist mal wieder tierisch schön gewesen

den (einen) **Abgang**   machen siehe: sich verpissen

abgebaggert   down, Zero

abgedreht   figürlich für Schraube locker

abgefuckt   Scheiß... (in Verbindung mit sämtlichen Hauptwörtern der deutschen Sprache möglich), vom englischen fuck (sprich: fack) = ficken

abgehen   betont männliches Euphorie-Verb. »Da geht dir glatt einer ab!« Weibliche Variante: »Schwester, da fliegt dir die Spirale raus!« Ansonsten kann auch die Post abgehen, z. B. bei Thomas Dolby

sich **abgeilen**   Simmer down, sich beruhigen. »Nu geil dich mal wieder ab!«

abgemackert   'n alter Hut

abgespitzt   mies und Scheiß... — »Das finde ich total abgespitzt von dir.«

abgewichst   abgefuckt

etwas oder jemanden **abgreifen** Im Supermarkt zum Null-tarif einkaufen. Kann auch die Konsequenz bedeuten, wenn dich dabei die Bullen abgreifen, nämlich: festnehmen

abheben Nicht den Telefonhörer, sondern eight miles high!

abhotten tanzen. Sich einen abhotten: besonders tanzen. Pogo, Robot, Break und so

abjacken tut jeder Szene-Typ, der aus der Kälte kommt: die Jacke ausziehen

etwas nicht **abkönnen** Alles, was dir stinkt. »Supertramp kann ich nicht ab.«

ablachen Der Superlativ von lachen

ablaufen Was in Bonn, in einer Beziehung oder in dir selbst vorgeht

ablinken reinlegen, to rip off

abmischen Die schlimme Haue machen

abräumen Die »Einstürzenden Neubauten« tun es beim nächsten Gig, dein Freund und Helfer bei der nichtgenehmigten Demo, wenn die Wannen voll werden. Einen Laden abräumen = klauen

abrufen Bewußt etwas in sich klingeln und zum Zuge kommen lassen, z. B. seinen Survival-Instinkt oder sein Feeling für Renate abrufen

absahnen Sponti-antik-deutsch. Die ewigen Absahner sind jedoch nun mal immer überall und auch unter uns

abschlaffen Wenn (was) einem/einer die Power ausgeht (ausgehen läßt). »Die Glotze ist der Abschlaffer Nr. 1!« Abgeschlafft kann everything sein, nur niemals der Polizeiknüppel von vis-à-vis. Kommt die große Abschlaffe, ist's Zeit für den letzten Joint. Siehe auch Schlaffi

abschminken Nö sagen. »Schmink dir das mal lieber ab!« Nichts für »Culture«-Boy George

abschnallen baff & weg & von den Socken sein. »Da schnallst du ab!«

sich **abseilen** sich verdrücken, aus der dogmatischen WG ins »Neue Heimat«-Appartement ziehen

Zum **Abspritzen!** Jubilier-Ausdruck aus dem Ejakulationsalltag a) allein oder b) zu zweit (Interruptus). »Glatt zum Abspritzen« ist tutti, was törnt. »Dein Fummel, Sugar, ist ja totalst zum Abspritzen!« Chauvi-exklusiv, höchstens bei militanten Frauen abwertend gebräuchlich

Abtörner(in) siehe: Frustrat(in)

abwiegeln Ein Problem runterspielen. TV-Gepflogenheit

jemanden **abziehen** ausnehmen. Ebenso negativ belastet: Eine Show abziehen

Achtundsechziger(in) hat die Apozeiten um 1968, Kommune 1 und Kommune 2 mitgemacht und kann es heute einfach nicht fassen, daß er (sie) zum Establishment gehört, zu denen, die von ihrem eigenen Spruch »Trau keinem über

30« überrollt wurden. Von der Studentenbewegung mit dem Chef-Verhalten ihrer eigenen Anführer – sprich: eklatantem Männer-Chauvinismus –, ist nichts übriggeblieben, denn sie war eine konventionelle Polit-Revolte gegen alles, was in der Welt etabliert war (US-Army in Vietnam) und Herrschaft ausübte – gegen das gesellschaftliche Establishment. Die dogmatischen K-Gruppen dominierten, und jede(r), der (die) auf die Straße ging, verkleisterte – laut Peter Schneider – »die eigene Psyche mit einer roten Fahne«. Die Penetranz und der Dogmatismus der K-Gruppen haben der Gesamtlinken massiv geschadet, den revolutionären Marxismus diffamiert, und diese üble Nachrede wirkt bis auf den heutigen Tag in die Alternativkultur und in die Bürgerinitiativenbewegung hinein. Doch immerhin – mit der Apo starteten die WGs, und nach den polittrocknen Funktionärsansprüchen blühte das Interesse an dem persönlichen besseren Leben auf. Im Pariser Mai 1968 entstand bereits die Parole »Die Fantasie an die Macht«. Nach Deutschland kam sie mit vielen Jahren Verspätung. Aus der Gegenbewegung der 68er wurde die »Neben«-Bewegung der Alternativen, die auf das bestehende System pfeift, auf großartige Reden verzichtet und einfach ganz konkret und hemdsärmelig zupackt, um eine Alternativgesellschaft zu Lande, zu Wasser und in der Luft aufzubauen und wachsen zu lassen. Wie sagt es Robert Jungk? – »Wir lassen uns nicht anpassen und stumm machen. Unter der steinernen Oberfläche aus Kommerz und Repression regt sich vielfältig neues Leben, das eine andere Zukunft verheißt.« Aus der akademisch-exklusiven Studentenbewegung 68 ist das all-mensch-und-jugendliche »Wir wollen alles« geworden. Ein heutiger Sponti kann sich gerade mal noch an den Polit-Clownerien der Kommune 1 hochziehen (an den Happening-artigen Protesten gegen die Normen der Gesellschaft, gegen den Muff von tausend Jahren abendländischer Tradition). Das, okay, ist frisch geblieben, kommt auch today noch rüber.

Aber die Sterilität der 68er-Kopf-Funktionäre, von einem historischen Über-Ich gesteuert, der Mangel, politische Superforderungen mit der eigenen persönlichen Lebensführung rückzukoppeln, immer schön frustriert sein, bloß nicht die eigenen Bedürfnisse beachten, das alles aus der Apo-Glanzzeit kann man heute gern vergessen. Vom Frust zur Lust. Drum hat es den Hauch des Tragikomischen, ein(e) Achtundsechziger(in) zu sein, und es ist verständlich, warum sich gerade die 68er(innen), wie jüngst Otto Schily im TV-Dialog mit Günter Gaus beklagte, fast total aus den Grünen heraushalten. Der Szene-Jargon geht mit ihnen nicht zimperlich um: siehe Apo-Opa

Acid   Trip, LSD, siehe: Junkie

Action   auch: Äktschn. Ey, muß ich das etwa erklären?

einen **Affen** haben   auf Entzug sein. Siehe: Turkey

affengeil   Steigerung von siehe: geil

schwarzer **Afghan**   Haschisch-Sorte wie grüner Türke, roter Libanese, südamerikanisches Gras, dunkelbrauner Pakistan, schwarzer und weißer Nepal

Aktion   aufklärerisches Aufrütteln. Eine Aktion machen: etwas öffentlich machen. Bis zur nächsten Amnesty-international(ai)-, Greenpeace- oder Robin-Wood-Aktion in deiner Morgenzeitung!

Alki   Eines von zig Szene-Deutsch-infantil-Kurz-Torso-Wörter-Cuts: Alkoholiker

das **Allerletzte!**   dernier cri auf Sub. Allein der Zusammenhang verrät, ob positiv oder negativ der **Alte,** die **Alte(n)**   Alt-Streichel-Vokabel für Partner(innen) in längeren Beziehungen. Gilt auch für Oldies (Eltern, ältere Mitmenschen), dann aber nicht so zärtlich. »Wenn du das machst, siehst du schnell alt aus«: »Das macht dich nicht happy!«

alternativ, der/die Alternative, die Alternative   Szene-Zentral-Begriffe, die sich längst jeder Reaktionärs-Politiker und selbst die Waschpulver-Werbung gecatcht haben. Ist alles ein bißchen in Verruf geraten. »Jung-Alternativer mit Müsli-Touch«. Latzhosen – passé. Aber so ist das mit den Movements, die durch den Reißwolf der Medien gehen, die alle Etiketten bereits im ersten Waschgang bis zur Unkenntlichkeit verschleißen: Je mehr die (ver)öffentlich(t)e Meinung glaubt, etwas sei out, desto intensiver und massenhafter ist es in und an allen Ecken real. Das alternative Leben, die Alternativen lassen sich nicht mitleidig totlächeln. Die Alternativkultur, die Alternativmedien, die Alternativprojekte, die Alternative Liste, die Alternativläden, ey, das blüht wie noch nie, und nicht nur die Toscana ist in alternativer deutscher Bauernhand. »Ich kann meine Träume nicht fristlos entlassen«, sagt Frederike Frei, eine von den unzähligen, »ich schulde ihnen noch mein Leben…« Beinahe hätte ich die Alternativcafés und -kneipen vergessen, die lassen sich von keinem New-Wave-Plastikschuppen wegdrücken. Nee. Die taz knaspert herum, alle Kollektive knaspern herum. Na und? Gewinne verderben den Charakter. Die ersten Alternativ-Freaks hatten es nicht easy und wurden deftig verlacht mit Hausmarken wie »Zurück zur Steinzeit«, »primitiv«, »Blödsinn«. Wer lacht da heute noch, wenn er/sie bedenkt, wogegen das alternative Arbeiten und Leben steht, nämlich GEGEN die sogenannte harte Technik der uns und jeden Baum bedrohenden Industriegesellschaft, d. h. Verschleißproduktion, Energieverschwendung, Umweltverschmutzung, Zwangswachstum, Konsum, »hoher Lebensstandard«, Fließbandarbeit, Arbeitslosigkeit, Gesundheitsschädlichkeit, Streß, industrielle, sprich: vergiftete Lebensmittel, Betonballungsgebiete, Kinderfeindlichkeit, Vereinzelung, Jeder mit dem Ellbogen gegen Jeden... Alternativ heißt: ökologisch, kollektiv, kommunikativ, unabhängig (autonom), fröhlich, sparsam, dezentral, emanzipativ, selbstbestimmt, menschlich, gesund, verständlich. Das Rest-Berliner »STATTBUCH« skizzierte die Alternativ-Ziele 1978 überaus zeitlos so: »Weniger ›falsche Leistung‹ zu bringen (warum Kriegswaffen, Wegwerfartikel, Atomkraftwerke produzieren?), weniger und wenn schon bewußter bzw. kritischer konsumieren (wenn's gar nicht anders geht: Flohmarkt), immer weniger entfremdete Arbeit leisten, Aufhebung der Trennung von Freizeit und Arbeit, Theorie und Praxis, weniger isoliert leben, mehr leben und lieben, Blumen pflücken und Purzelbäume schlagen, Tauschverhältnisse wieder einzuführen, statt des Geldverkehrs, wieder erlernen, unabhängiger zu sein, mehr selber zu machen, also weniger versklavt zu sein, nicht die Spezialisierung anstreben.« Alles, was kein Geld k.o.stet, ist gut. Zum ewigen, ganze Wälder hinraffenden Klosettpapier gibt es nur eine Alternative: den Arsch über den Handwaschbeckenrand powern und mit Wasser und Seife waschen! Als Dreingabe zur Kostenersparnis des unnützen Papiers, das sowieso nur dumm wischt und nicht säubert, bekommt man/frau sogar noch ein direktes Feeling zu seinem/ihrem Körper und eine positivere Einstellung zum Modewörtchen »Scheiße«. Alternativ reisen? Mit dem Rucksack durch Kalifornien? Nee, überhaupt nicht reisen. Alternativ rauchen? Selbstgedrehte Zigaretten? Nee, gar nicht rauchen. Wenn's doch sein muß, Blätter und Kräuter – kostenlos! – sammeln und trocknen: Holunderblätter, Weinblätter, Huflattich, Rosmarin, Majoran, Salbei, Basilikum, Eberraute, Nessel, Lavendelblüten, Minze, Rosenblätter, mit Apfelschale und Honig vermengt – und ab in die selbstgeschnitzte Pfeife! Das ist »Mmmmh« auf alternativ. Hasch und härtere Drogen aus der vorgehaltenen Dealerhand im Dunkeln unterm S-Bahn-Bogen? Eine Alternative? Lieber Pilze aus dem deutschen Wald, die niemand pflückt. So, jetzt reicht's aber zu diesem Offenbarungswörtchen, das kurioserweise den Zustand »alter« und phonetisch »tief« wie sub in sich trägt. »Wer zuletzt quakt«, lautet ein Sponti-Graffito auf dem Klo des Münchner »Studio-Cafés«, »bleibt ein Frosch!« Quak?

AM Mittelwelle. Außer AFN, wo's ihn gibt, und »208«, dem englischen Programm von Radio Luxemburg (»Biggest commercial radio on planet earth«), rührt sich da nichts

Anarchie Gleich noch so'n Problem-Classic. Sponti-Ewigkeits-Superspruch-Opus: »Anarchie ist machbar, Herr Nachbar«. Was für ein Ziel! Keine Herrschaft, kein Gesetz, kein Staat, Null Gewalt, just Harmonie und Paradies von Du zu Du. Nach Tod und Terror gehört dieses große Wort und unerreichte Ideal nur noch in den Sprachschatz der Justiz- und Polizeibehörden. Anarchistisch, Anarcho..., der(die) Anarchist(in). Siehe lieber: libertär

anfetzen anfeuern. Wenn's unbedingt Nenas viele Gummis sein müssen, bitte!

anfixen Dealer-Deutsch des Unbehagens: neue Kunden (Drogenabhängige, Opfer) machen

Angemache Die »kleinen Hexen«, Gewinnerinnen des 1. Preises in einem Jugendzeitungswettbewerb, schreiben aus Berlin an »Emma«: »Wir hatten damals einfach die Schnauze voll, uns in gemischten Schülergruppen und Schülerzeitungen rechtfertigen zu müssen, warum wir mädchenspezifische Themen oder Artikel besprechen oder schreiben wollten. Das ewige **Angemache:** ach schon wieder diese Emanzen hatten wir satt, und da kam uns die Idee, an unserer Schule eine reine Mädchengruppe zu gründen...« Das bedeutet Angemache. Mehr siehe: Anmache, anmachen

angepunkt auf Punk abgefahren, aber nicht voll drauf. Siehe: Punker

angesagt (aus dem Zocker-Jargon, wenn die Trumpfkarte lacht und lockt) ist alles, was echt in und hot thrillt oder zumindest auf der Tages- oder Nachtordnung steht. Jenes altamouröse »voulezvous coucher avec moi?« läuft in einer einsam parkenden Rost-Ente heute so: »Und was ist jetzt angesagt, Sugar?« (er), »Nu mach schon« (sie) oder umgekehrt...

angetoucht Scene-Kolonial-german: von etwas (jemandem) beeinflußt

Anmache ärgerliche Belästigung. Szene-Topwort, denn es reflektiert, was für ein geballter Haufen von Anmache den Alltag ausmacht. So eine Art Opfer-Einsicht, aber nicht wehrlos. Ganz im Gegenteil. Wenn die Anmache des Makkers, des Spitzenpolitikers, des nackten Werbe-Busens, der Schule, des Kanzel-Pfarrers etc. beim Namen genannt ist, löst sich der Quälgeist von alleine auf. Der besondere Witz dieses sprachlichen Kunstwerkes liegt in seinem Substantivismus. Nach dem Muster »Nimm ein ganz normales unauffälliges Verb und beiße hinten das n ab!« Vielleicht lauten die Verbotsschilder der Zukunft schon bald: »Die Betrete des Rasens ist...«? – Eine Frau über einen Typen: »Er ist so ein Mann zwischen Denke und Matratze.« Das sitzt. Mach dir dein ureigenes neues Hauptwort selber – jedem/jeder seine/ihre unverwechselbare Spreche!

anmachen Das Verb der Schattendynastie, aus dem sich die Anmache aufmucksend erhoben hat. Vom Feuer anmachen zum »die Weiber anmachen« war's kein weiter Weg. Die Penetranz – unüberhörbar. »Ey, mach mich nicht an, Alter!« Der Alptraum der Kabel-Fernsehbosse, daß eines Sendetages die Glotze zu sprechen anfängt und dem TV-Droge-Abhängigen zuruft: »Mensch, mach mich bloß nicht an!« Kurioserweise kann trotz allem anmachen auch positiv gemeint sein, z. B. »Dieser Bowie macht mich echt an.« Es kommt eben auf die jeweilige Anmache an

anmotzen anmachen hoch hundert

annerven dito

anpowern in positive Vibrationen versetzen

anständig gewaltig. Bitte auf der Zunge zergehen lassen, daß die Gewalt ein Synonym für Anstand ist. »Anständig einen saufen« klingt halbwegs originell, weil es um das Gegenteil von sogenanntem Anständigen geht, in Wirklichkeit aber die Wahrheit des sogenannten Anständigen demaskiert. Nur anständige Menschen lieben das Münchner Oktoberfest . . .

anstinken gegen etwas aktiv angehen, was einem stinkt, z. B. gegen die hinausgeschobene, aber nicht aufgehobene Volkszählung. Aber auch: »Die Arbeitsbedingungen stinken mich unheimlich an!«

antanzen eintreffen, eintrudeln. Besonders apart, wenn das Bullenballett antanzt

Anti-Imps Szene-Medizinisch? Antikörper in der Impfspritze? Politkürzel: Gegner imperialistischer Politik

antörnen high und happy und wahnsinnig easy machen

Apo-Opa sitzt z. B. im Berliner »Zwiebelfisch« am Savi- X
gnyplatz und kann wenig damit anfangen, was nach ihm,
nach 1968, gelaufen ist und speziell heutzutage läuft.
Nichts ist trauriger als große und kleine Revoluzzer, die in
die Jahre kommen, noch dazu Kinder haben, die von
»McDonald's« schwärmen, von Prinzen und Prinzessin-
nen, und die in ihren Straßenkampf-Jeans Fett ansetzen.
Richtig schön wird es erst, wenn die Alt-Punks und die Alt-
Alternativen in die städtischen Seniorenheime getragen
werden. Sorry, Freund(in), auch du wirst älter. Hope so!

Araberfeudel Palästinenserhalstuch. Es lebe das Ver-
mummungsverbot!

arbeiten schlimmes Tätigkeitswort. Besonders kotz-
schlimm in der Freizeitgestaltungsbedeutung männlicher
Kegelbrüder, die sich an der Theke darüber auslassen, wie
sie gestern nacht an dieser Mutter gearbeitet haben

Argumente andere Vokabel für Pflastersteine. Klo-Spruch
in einer Sssien-Kneipe: »Zimmermann – die zärtlichste Ver-
suchung, seit es Steine gibt!«

Asche für Pessimisten: Sinn- und nutzlos (»Das ist doch
alles Asche!«), für Optimisten: Knete, Heu, Lappen, Pinke,
Money, Moos, Schotter, Bares, Eier. Vielleicht das echteste
Wörtchen für Kohle. Denn wer Asche sagt, ist meist total
abgebrannt

astrein okay

atablank sind die New-Wave-Cafes in Neon, Plastik und X
gestylter Coolheit

ätzend Auch so 'n Dauer-Attribut mit Endlos-Schlaufe: Was tierisch geil reingeht, rüberkommt. Positiv und negativ. Von Riesenscheiße bis Wow

aufarbeiten Müd-Mot für dröge Diskussionen über politische oder intime Verhältnisse. Es ist leicht, die Vergangenheit und Gegenwart anderer aufzuarbeiten. Wer arbeitet sich schon selber auf?

jemanden etwas **aufknacken** z. B. Probleme, Trabbel

aufmachen Ein schönes, einfaches, wohliges Bild: Einen Typen, ein Baby aufmachen bedeutet nicht dieses ewige Eine, sondern – ansprechen, mit ihm/ihr quatschen. Drei Punkte – ...

aufmischen eine Neo-Nazi-Ver- und Ansammlung? Auch das. Jedenfalls handfeste Steigerung von abbürsten

aufmotzen hypen, wenig überzeugend etwas hyper machen

aufreißen So-called Dinosaurier-Verb, in Scene-Circels ausschließlich auf Türen und Fenster bezogen, wenn die Kneipenluft zu dicke geworden ist. Menschlichere Öffnungen in Verbindung mit diesem Tätigkeitswort seien dem sexistischen Establishment-Sprachschatz überlassen

sich **ausblenden** Da nicht mehr mitmachen. Lehnwort aus dem Fernsehmilieu, wo man sich grundsätzlich hie und dort ausblendet, wenn's ausnahmsweise mal hitzig wird

jemanden **ausbooten** Computer-Szene-Jargon: bei jemandem, den/die man/frau gerade kennengelernt hat, »das Grundprogramm legen«. Bett oder nicht Bett

ausflippen Aber auch wegflippen kannst du, herumflip-pen und einen ausgeflippten Fummel anhaben. »Ich flippe gleich aus!«

aufgefreakt ist ein bißchen aktueller als ausgeflippt, zählt jedoch auch schon zu den Oldies, but Goldies

ausgelutscht ist z. B. dieser PSS (Pseudo-Sponti-Spruch): »Lieber ne Wampe vom Saufen / als nen Buckel vom Arbei-ten«

ausgepowert Zero, downst

ausgeschlafen helle; krille; frischwärts laß uns zieh'n (Scene)

ausklinken durchdrehen, doch nicht aus Fun. »Na, da bin ich aber ausgeklinkt!« So fängt meist ein Bericht über eine rabiate Auseinandersetzung an. Ausgeklinkter Typ: plemm-plemm

ausrasten durchdrehen aus Begeisterung. Text eines Schlagzeug-Sonderangebots in der Münchner Stadt-Zei-tung: »Anrufen, antesten – ausrasten!« Genauso durchdre-hen aus Angst. »Es ist ihnen gelungen, mich zu verletzen, zu provozieren, zu verunsichern und mir Angst einzujagen. Nur der Umstand, daß hinter den Worten immer die Ab-sicht transparent wurde, hat mir geholfen, ihnen den Gefal-len nicht zu tun und deswegen auszurasten...« Ex-RAF-An-gehöriger Peter-Jürgen Boock über die Bundesanwaltschaft in seinem Schlußwort in Stuttgart-Stammheim

aussteigen das normalste auf der Welt: Wenn du im fal-schen Zug sitzt, wirst du auf dem nächsten Bahnhof aussteigen. Es soll Leute geben, die sogar aus brennenden Starfightern per Schleudersitz aussteigen. Also, wenn du den Irrtum und die Gefahr siehst, auf die du unweigerlich zurast, dann wirst du – aussteigen. Klaro? Die Zahl derer, die aus- und in ein besseres Leben einsteigen, wächst, denn unsere miesen Lebensbedingungen sind kein Top Secret mehr. Ein paar Schlagworte reichen: Unsere Energien werden durch entfremdete, unterbezahlte Arbeit aufgesaugt, menschliche Beziehungen durch Isolation in den Beton-Citys zerstört – Unterdrückung von Wärme, Zärtlichkeit, Sexualität, Kreativität durch kaputte Familienstrukturen und »Erziehung« in den Zuchtanstalten Kindergarten, Schule, Universität... Psychische und physische Vernichtung von Menschen in den Knästen, Heimen, Klappsmühlen, Krankenhäusern, Siechenheimen... Immer fortschreitendere Verseuchung unserer Wälder, Seen, Luft durch Atomkraftwerke und Mammutindustrien. Kurz: Gift in unseren Herzen, Gift im Essen, und das auch noch atombombensicher! Tja, und da machen nun viele und immer vielere nicht mehr mit und steigen einfach so in die Arbeits- und Lebenskollektive um, züchten Schafe und Salatköpfe und krempeln in allen Sparten die Ärmel hoch. Aussteiger gleich Spinner? Die Häme der Gesellschaft, die das gute Wort von der guten Tat erbarmungslos verhunzt hat, ist das Problem der Gesellschaft, nicht der Aussteiger. »In der heutigen Zeit, wo man so isoliert rumhängt und psychisch verelendet, da gibt es für uns keine andere Möglichkeit, als es zu probieren«, sagt Bernd (34), Mitinitiator eines »Lebensexperiments« vor den Toren Hamburgs, wo auf 100 Hektar rund hundert Leute ihr eigenes Dorf gründen. Dies bis hin nach Oregon (Bhagwan-County) sind die aktiven Aussteiger(innen). Dann gibt es noch die passiven, die ausgestiegen werden, die verzweifeln und nach innen flüchten. In den Selbstmord auf Raten. In die Drogen. Oder die einfach auf Trebe gehen. Oder die das Kaputte zum Stil erhoben haben: die Punks und Punker. »Wir sind die Quittung«, erklärte Punkerin Renate Ungar in

einer »Club 2«-Diskussion des ORF, »die wir der Gesellschaft vor die Augen reiben!« Nein, kein(e) Aussteiger(in)
läuft unter Spinner. Vielleicht müssen noch einige Jährchen
vergehen, bis dieses Zeitgeistverb aussteigen heiliggespro-
chen wird...

sich **autonomisieren** siehe oben

Bär   das Schamhaare-Dreyecksland in der weiblichen Zone. Sanfter Typ, Trollo

bärenstark   super

Bares   siehe: Asche

bärig   lieb, super. Kommt drauf oder drunter an

Basic   »Kannst du nicht Basic mit mir reden?«: »Warum so hochgestochen?« Computer-Ssszien-Deutsch: heißt korrekt ausgeschrieben Beginners Allpurpose Symbolic Instruction Code − die Allzweck-Programmiersprache für Computer-Anfänger, in einer Woche im Computer-Camp leicht zu erlernen, von Kids ab zehn aufwärts

Batterie   Kopf, Hirn. Jemandem was vor die Batterie knallen

Bedürfnis   nicht pie-pie, sondern mehr oder alles. Keine Szene einer Partnerschaft ohne dieses Hauptwort für intime Psychos

beinhart   ist noch immer die Baßgitarre von Keith Richards. Stark. Affengeil

31

beknackt behämmert

sich **beölen** z. B. über Sprüche auf dem Scheißhaus. Hier noch drei: »Nieten an die Spitze«, »Lieber eine 5 in Mathe als gar keine persönliche Note«, »Lieber niederträchtig als hochschwanger«. Beliebt: »Ich könnt' mich beölen«

betroffen ehrlich tangiert. Betroffenenberichte sind die einzigen, die nicht aus der kalten Küche kommen

sich **beulen** Fäuste fliegen lassen

Bewegung Was kommt nach Poppers, Punkers, Breakers? Die Medien kochen schon dran rum. Auch die kleinste Bewegung ist eine Bewegung. Und dann geht's ran – den Dialog mit... suchen

Beziehung Je weniger du zu irgendwas, zu irgendwem eine Beziehung hast, desto pausenloser wird es dir über die Lippen gehen. Beziehungskiste, -scheiße, -knatsch etc.

Bezugsperson Auch so ein Papiermonstrum. Ist nicht wegzukriegen, und nicht nur alleinerziehende Elternteile plagen sich damit ab

eine **Biege** machen die Fliege machen

Big Mäc Bonze. »Die Big Mäcs von Bonn.« Ist zu schön, um wahr zu sein, daß ein Gericht (Echohall!) von McDonald's zum leibhaftigen Superboß aufgeschwollen ist. Ein Wort sagt mehr als tausend Bilder! (Nichts gegen die ausgeschlafenen Fotos von Günter Zint in diesem Buch!)

Big Raushole Überbleibsel aus RAF-Zeiten: Knackis bei der spektakulären Aussteige behilflich sein

Birne Cartoon-Held, dessen Ähnlichkeit mit Wende-Kanzler Kohl verblüfft. Birne ist unheimlich in. Also, Freund(in), dreh dir ganz schnell diese Birne in die Fassung!

Blackout Stromausfall im Gehirn, im Herzen, im Body und an der Alternativ-Theke

Blech Da fliegt dir doch das Blech weg (Copyright: Spliff). Blech reden, aufs Blech hauen kann dagegen ohne GEMA-Gebühren frei ausgesprochen werden

den **Blinker** setzen Sag, worauf du hinaus willst!

blocken Wichtigste Tätigkeit bundesdeutscher TV-Moderatoren und Live-Diskussionsleiter. Auch: abblocken. Findet statt, wo geredet wird

Bock Lust. Siehe Null Bock

sich **bohren** z. B. in eine Disco oder mit dem Motorrad nach Rosenheim

Bombe Scene-Leasing-Wort aus der Pennersprache: 2-Liter-Weinflasche. Nicht unpassend auch für Friedensbewegte

bongen einverstanden sein mit... Auch der Supermarkt versorgt die Ssssiehn mit sprachlichen Sonderangeboten. »Ist gebongt«

Braut Mädchen, Girl, Sugar, Babe. Von Marlboro-Rauchern bevorzugt

Breaker Der Zeitgeist läßt aber auch nichts aus. Seit »Metropolis« ist es keine Frage, daß diese Zivilisationsbevölkerung zu Maschinen, Robotern gechromt wird. Und gerade heutzutage, wo das blecherne Eingeständnis besonders düster rüberkommt, taucht der Breakdance mit Scratch, Rap, Robot und Electric Boogie aus den USA auf. Pausentanz. Pause vor was, muß man da atomargestählt fragen. Maschinenbewegungen – nicht als Protest-Movements, sondern als artistischer Partyhochgenuß! Gesucht: der perfekte Roboter auf zwei Tanzbeinen! Tanz dich frei, und immer schön beide Finger in der Steckdose! Die electric Zombies lassen bitten. Doch Hut ab vor ihrer Muskel- und Knochenarbeit. Also, liebe 220-Volt-Harlekine, laßt euch nicht den Ruck- und Zuckjux vermiesen: Immer schön außer Rand und Fließband!

jemandem eine brettern ohrfeigen. Ins Café reinbrettern: eintreten. Runterbrettern, hinbrettern: reisen. Soundwort par excellence und at its best.

bringen Wenn in dieser Sekunde bei mir die Tür aufgeht, jemand stellt mir einen dampfenden Kaffee-Cup neben den Aschenbecher, tja, dann rufe ich ekstatisch aus: »Das bringt's!« Die Tür geht nicht auf

Brocken »Dann fliegen aber die Brocken!« Die Brocken hinschmeißen: den Hammer fallen lassen, die Platte putzen

Brownsche Röhre man/frau klebt genauso dran wie an der Braunschen TV-Röhre: Cola

Bruch Fric-frac, Einbruch

Bulle Plötzlich ist der Nickname da und nicht mehr wegzudenken, und es ist nicht zu fassen, daß es tatsächlich mal Zeiten gegeben haben soll, als er noch ein Freund und Helfer war. Obwohl – das ist er heute schon noch, allerdings

exklusiv für die Obrigkeit und für das Obrigkeitsdenken. Jedes Land hat seine für Sicherheit und Ordnung sorgenden Tierchen: Amerika seine Pigs. Schweine. Frankreich seine Poulets. Hühner. BRD-Deutschland seine Bullen. Wer heute noch Polente sagt, meint ein spanisches Pfannengericht. »Deutsche Bullen schnaufen nicht«, lautete vor langer Zeit der Werbeslogan eines bekannten Fernlaster-Herstellers. Jene Bullen mutierten in Brummis. Dafür wurde der Wachtmeister von der Nummer 110 zur männlichen Kuh. Es gibt ausgesprochene Schlimmis, die glatt behaupten, die Hauptaufgabe der Bullen bestehe darin, den Staat vor seiner Jugend zu schützen. Noch einseitiger sehen es die Punker. Textprobe aus der Single »BGS« der Buttocks: »Hängt die Bullen auf und röstet ihre Schwänze!« Gegen Spitznamen helfen keine Gerichtsprozesse. Höchstens andere Alltage

Bulette   was (scherzhaft!) vom Bullen übrigbleibt

bumm   mit Ausrufungszeichen! Der Endknall. Alle reden davon, das macht Hoffnung, daß er nicht eintritt. Szene-Deutsch-Latein: cogito ergo bumm! (Für Nicht-Latriner: Ich zweifle, also BUMM!)

bumsen   siehe: ficken, siehe: vögeln. Wo liegt der Unterschied? Helga Goetze, die Fickmutter der Nation, hat sich bis auf die heutige Nacht unendlich bemüht, den tierisch geilen Unterschied zwischen bumsen, ficken und vögeln herauszuarbeiten. Ich zitiere aus dem Gedächtnis. Die unterste Stufe der körperlichen Furniersucht ist das Bumsen, auch Bums genannt. Hat was eindeutig Unbeseeltes wie zwei Kraftfahrzeuge, die rechts vor links zusammenbuffen. Dies beinhaltet jene Verkehrssituation, in der sich eine leidgeprüfte Ehefrau in einem taz-Interview auf der Frauenseite folgendermaßen charakterisierte: »Ich bin ein Blitzableiter mit Loch!« Auf die Cafés und Kneipen der Szene bezogen:

Wer aufreißt, bumst. Die einzige für uns erreichbare höhere Stufe des Orgasmüssens: das Ficken, das sich wertneutral auf den Akt des Hin und Hers bezieht, und in der kalten Bauernsprache sogar säen, den Samen reintun, bedeutet. Den paradiesischen Idealzustand des Vögelns, so stoßseufzt zumindest Helga Goetze, hat die Menschheit verspielt. Aus. Sense. Finito. So wie die Dinosaurier weg sind, ist diese begnadete Chance weg. Leicht, lyrisch, musisch, pastellig, wie es unsere gefiederten Freunde und Freundinnen in der Dachrinne treiben – well, davon können wir, laut Helga, wenn's hochkommt, gerade mal träumen. Dennoch: nicht aufgeben!!!

bunkern Knete auf die Kante legen. Null Sssssiehn-Alltag

busten jemanden hochgehen lassen, austricksen. Gebustet: von der Polizei (Hochdeutsch) erwischt werden

Button englisch: Knopf, Szenedeutsch: Blechding mit Parole drauf, das in Herznähe an den Klamotten hängt. Der »Playboy«, dieses Hochglanzexemplar aus München mit den brutalen Heftklammern zwischen Brust und Venushügel, hat einen dollen Satz geprägt: »Was dem Christdemokraten das Kabelfernsehen, ist dem unchristlichen Bürger der Button.« Kommentar? Überflüssigst!

Cannabis   Marihuana streng botanisch, und in diesem grünen Zustand erlaubt. Vorsicht bei der Ernte und beim Trocknen. Dann fängt der ganze Shit an!

Chaos   ist nicht nur das äußere Erscheinungsbild von WG-Zimmern. Im strikten Gegensatz zur bürgerlichen Presse und zum sogenannten gesunden Volksempfinden ein Zustand, der positiv gemeint ist. Kontaktanzeigen-Zitat: »Chaos-mann (37), knacki, auf dem sprung von Bruchsal nach Hamburg, sucht chaos-frau, für nen guten kontakt. vielleicht auch mehr? Wenn möglich aus Hamburg oder umgebung. Chiffre: chaos-kontakt . . .«

Chaot(in)   Sponti, Szenemensch mit oder ohne (Wolfgang Neuss) Szene, pardon: Zähne

Charts   Hitparade. Empfehlenswert: Casey Kazems Top Forty, AFN-Radio, sonntags 14—18 Uhr (in Österreich Ö3 sonnabends ab 19 Uhr). Wer diese beiden Sender nicht reinkriegt: umziehen

Chauvi   erkennt frau daran, daß er sich gern als feministisch bezeichnet, aber das Frühstück ans Bett bringen läßt. Kurzer O-Ton von der Grünen-Matratze: »Aus dir spricht Wort für Wort der alte Adam!« (Christa Nickels zu Joschka Fischer) »Daß ich ein Schwanzträger bin, kann man mir nicht zum Vorwurf machen.« (Joschka Fischer zu Christa

Nickels) Ein Chauvi, auch: Schowi, verrät sich außerdem dadurch, daß er selbst in der militantesten Feminat-WG ständig die Klosettbrille hochgeklappt zurückläßt. Wirklich ärgerlich. (Siehe auch Klemmchauvi)

checken ab-, aus-, vor-, nachchecken. Prüfen, ausbaldowern. Chubby Checker: dicker Rechercheur vom Bundeskriminalamt. »Das check ich niemals!« – »Das begreif' ich nie!« Sich scheckig lachen kommt nicht von checken, sondern von Barscheck

Chip hat längst nichts mehr mit halbverkohlten Kartoffelscheiben zu tun. Elektronisches Mini-Hirn der Computer-Eggheads

Chippie Drogendebütant. Klingt verteufelt harmlos, drum ein paar Takte mehr. Fast auf den Tag genau seit 1968 ist die Droge in und unter uns. Erst die weichen Drogen (Haschisch, Marihuana) mit dem Thrill der Auflehnung (der Bewußtseinserweiterung), gegen bestehende gesellschaftliche Normen und Wertvorstellungen zu protestieren. Ende 60 powerten sogenannte Halluzinogene (LSD, Mescalin und diverse psychotrop wirkende Pilze) auf den dunklen Markt. Anfangs ging's um Selbsterkenntnis und Einblick-Gehversuche ins Unterbewußtsein. Dann (bis dato) kam der unstillbare Wunsch, sich kaputt zu machen, in zu sein, sich durch eine Extremnegativkarriere hervorzuheben. Der Drogenhandel und Schmuggel ist heute in den Händen und Fäusten großorganisierter Supergangs, die sich ausschließlich auf Heroin, Kokain versteift haben. Im Gegensatz zu den weichen Drogen stellt sich bei »H« und Koks schon nach einmaligem Gebrauch eine psychische Abhängigkeit ein. Bereits nach wenigen Spritzen oder »Sniffs« ist eine körperliche Abhängigkeit vorhanden. Diese Abhängigkeit stellt der Chippie, weil er noch keine negativen Begleiterscheinungen mitkriegt (körperlicher, psychischer, sozialer und finanzieller Art), erst fest, wenn es bereits zu spät ist. Nach kurzer Zeit kommen die Konsequenzen jedoch um so knallhärter. Der Körper baut eine Toleranz (Dosissteigerung) auf, der/die Abhängige braucht immer mehr Geld, um den täglichen Drogenbedarf zu finanzieren. Das Abgleiten ins kriminelle Milieu – es sei denn, du bist Popstar – ist unaufhaltsam. Durch die Abhängigkeit geht alles sausen: die Schule, die Lehrstelle, der Studienplatz, die Stellung. Die Droge wird zum Angelpunkt deines Lebens. Der/die Abhängige braucht zwischen 3000 und 7000 Mark monatlich zur Deckung seines/ihres Bedarfs. Das ist der Punkt der Folge- und Beschaffungskriminalität (Einbruch, Diebstahl, Drogenhandel, Hehlerei, Prostitution, Zuhälterei usw.). Ein Aufenthalt teils längerer Art in einer Haftanstalt oder einer psychiatrischen Klinik ist auf lange Distanz nicht zu vermeiden. Nicht zu vergessen: der rapide körperliche und soziale Verfall. Dieser Entwicklung der Drogenabhängigkeit ist nur durch konsequentes Verhalten aller Betroffenen (Eltern, Freunde, Geschwister) zu begegnen. Der/die Abhängige auf sich allein gestellt ist machtlos. Wichtig: Die Beratung in den zahlreichen Beratungsstellen ist kostenlos und streng vertraulich. Auch die Ärzte des Notdienstes, in einer Gefahrensituation (mit der Feuerwehr) gerufen, unterliegen wie alle Ärzte der gesetzlichen Schweigepflicht und dürfen Informationen z. B. an die Polizei nicht weitergeben. Soviel zu dem Wort Chippie, das so lustig klingt...

Ciao Tschau. Wer auch das nicht schnallt: ist 'n Gruß wie Hallo, Ey, Hi

clean Scene-Kolonial-german: sauber (von Drogen jeder Art, selbst den erlaubtesten). »Der Typ ist clean« – er ist kein V-Mann, kein Zivi und kein Under-Cover-Agent. Etwas cleanen: eine Sache klären

in den **Clinch** gehen   sich clinchen, streiten oder sich vier-
(bis aufwärts)händig streicheln und packen

Clique   mehr als eine(r)

Code   kann den Code nicht knacken (auch: hacken): ka-
pier das nicht

Coke   drüber! Schwamm drüber

Connections   Beziehungen zu ihr (ihm), zu Bogie in »Ca-
sablanca«, zum Job, zu Goethe. Hat das gräßliche Monster
Affinität glatt gekillt. Selten für Vitamin B. French Connec-
tion: Dealergang. Connections auch als WG- und Grup-
pengemütlichkeit: Zusammengehörigkeitsfeelings

cool   jazzy. Heiß auf kalt. Überlegen. Alles Gute ist cool.
Cooler Job: Traumjob, cooler Typ: Traumtyp

die neue **Coolheit**   Hinein ins nächste New-Wave-Café
und staunen. Die Eiszeit mit Chiquesse

Dampfer Nur Scene-Rentner sind auf dem falschen Dampfer und entsprechend falsch gewickelt

Dativ wer dem nicht rettet, wird sich nie an ihm gewöhnen

Deal einen deal machen: ein Geschäft tatütatätigen. Kein big Deal: keine Affäre, reg dich ab!

dealen kann man/frau auch ganz legal, z. B. mit Säkänd-Händ-Fahrrädern

Dealer des Teufels Drogist, meist selbst ein armes Schwein

Demo Nö. Wird nicht mehr erklärt. Einfach hingehen

Depri-Einheiten Schönes Wort für schlimme Menschen und Sachen, die dir auf deiner Säuernis-Skala soundso viele deprimierende Maßeinheiten verpassen

dialektisch aus dem eigenen Topf, über sein/ihr Bett vor dem Kopf und über die Berge sehend. Wer den Durchblickkerkurs in Rosenheim hinter sich hat, ist in der Lage, etwas dialektisch zu sehen und zu sagen, nämlich über These, Antithese und Synthese hinaus

die herabsetzend für: die anderen da

Ding Mal ehrlich, »Das ist nicht mein Ding« hat doch mehr drauf als Großvaters »Das ist nicht meine Sache – nicht!«

sich **distanzieren** Wenn Uwe mit der Rechnung kommt: sich heimlich verdrücken

Dope das harte Zeug. Hard stuff wie »H« (engl. ausgesprochen) Heroin, Kokain. Dope ist genauso: der/die Rauschgiftsüchtige

etwas **dollo** finden hinten ein o ran macht das prähistorische doll sssiehn-uptodate

down Gegenteil von siehe high

drauf »Suchen noch scharfe Combos – für wenig Knete, gut drauf!« Etwas draufhaben, gut, schlecht, mies, tierisch geil drauf sein: der jeweilige Seelen- und Vibrations-Zustand. Wenn du wieder mal heavy drauf bist, dann bist du total du selbst

draufhängen wie am Tropf hängen, ausgeliefert, abhängig sein, z. B. von Dope, Glotze oder Bafög

jemanden auf etwas **draufheben** ihm/ihr etwas schmackhaft machen, ihn/sie auf die Idee bringen, z. B. sich lieber aus dem nächsten Bio-Laden zu ernähren, auch wenn's ins Portemonnaie geht. Denn: Die Profit-Professionalität der Lebensmittelmultis hat es perfekt hingekriegt, unsere sämtlichen Hauptnahrungsmittel derart zu behandeln, daß sie zu eindeutigen Giften geworden sind. Sie konservieren und pasteurisieren den ganzen Salat in Büchsen, Gläsern, Tu-

ben, entfernen die lebenswichtigen Rand- und Keimschichten des Getreides, um größere Haltbarkeit zu erreichen. Die Plastikwelt hat von unseren Kochtöpfen, von unseren Körpern Besitz ergriffen und steckt ihre Finger in alle Ritzen unseres Lebens. Systematisch werden wir unserer Gesundheit, unserer natürlichen Widerstandskräfte beraubt und landen in der totalen Abhängigkeit von Pharmaindustrie, Ärzten und Krankenkassen, die sich an uns fettsanieren. Also, laß dich draufheben: auf die fantasievolle Neuentdeckung deiner Bedürfnisse, deines Geschmacks, auf ein neues Verhältnis zum Wohlbefinden. Jedes Stückchen Selbstkontrolle, das du über deinen Körper zurückgewinnst, gibt dir gleichzeitig ein Häppchen Autonomie. Gut, natürlich, sinnlich und beseelt essen – am besten sogar Selbstangebautes, Selbstgesammeltes, Selbstgebackenes etc. – ist knallharter Widerstand. Pure Politik. Mahlzeit!

drin sein, nicht **drin** sein ja, nein. »Hast du mal 'ne Mark für'n Bus?« – »Ist heute leider bei mir nicht drin.«

dröge Szene-Oldie, tauchte schon in Udo Lindenbergs »Alles klar auf der Andreeeea Doooria« auf: trocken, ernst, hartbrockig, zach. Zitat: »Die Düsseldorfer Szene ist viel seriöser, auch dröger.« Z. B. der Uni-Betrieb ist zumeist dröge

drögeln verharmlosend für: Drogen nehmen, fixen

sich **dröhnen** einen reinknallen (Alkohol, Dope, selbst 'n Kaffee). Wer vollgedröhnt ist, der ist zu. Dröhnung kann aber auch Ohrfeige bedeuten. »Hast wohl die große Sehne nach 'ner vollen Abdröhnung, ey?«

drücken den harten Stoff per Injektionsnadel reindrükken. Der/die drückt. Der ist ein Drücker. Will seinen/ihren nächsten Druck

dummsülzen Nonsens reden

Dumpfbacke Diesen Menschen aller Alters- und Geschlechtsgruppen gibt es wie Sand am Meer

Dumpfmeister noch schlimmer als siehe oben

den **Durchblick** haben nur die Durchblicker, u. a. Nina Hagen, wenn sie sich wehrt: »Ich bin nicht deine Fickmaschine!« oder der Verfasser der Französischen Revolutionsparole: »Die Großen sind groß, weil wir uns auf den Knien befinden — erheben wir uns massenhaft!«

durchdrehen abheben. »Nu dreh mal nicht gleich durch!«

durchhängen k. o. sein, von der Nacht zu heute. Einen Durchhänger haben

etwas **durchticken** kapieren. »Das tick' ich schon durch!«

einen **durchziehen** kiffen, ficken aus weiblicher Sicht. Etwas durchziehen: eine Sache zu Ende bringen

easy Eines von den amerikanischen Leasing-Modewörtern, die beim Importieren eine ganz spezielle Bedeutung erlangten. In der US-Umgangssprache wird es hauptsächlich benutzt, wenn ein Schwerverletzter in die Unfallstation geschleppt wird: easy – vorsichtig! Oder ein Billardspieler geht easy – mit Fingerspitzengefühl – an den nächsten Stoß ran. Hierzulande ist easy: leicht, lässig. Easy an eine Arbeit herangehen. Alles easy auf sich zukommen lassen. Easy drauf sein. Alles ist danach ganz easy. Easy angetatscht. Alles easy: okay

echt Szene-Deutsch-Füllsel der No.-1-Klasse. »Irgendwie echt geil und so...« Merke: Ein Füllsel kommt echt äußerst selten allein, echt tierisch, gelle?

Edel... paßt an jedes Substantiv, das augenzwinkernd in Frage gestellt werden soll, z. B. Edelrocker Udo Lindi, der eigentlich kein richtiger Rock 'n' Roller ist, aber mit Erfolg so tut

Ego-Trip ich, ich, ich, ich, ich, ich, ich, ich, ich, ich, ich, ich, ich, ich, ich, ich, ich, ich, ich, ich!!!!!!!!!!

eh sowieso. »Das zahl' ich eh nicht«, sagt der Sponti, der einen Strafzettel hinter seinem Scheibenwischer hervorzieht und easy drauf ist, während gerade die Sonne aufgeht

Ei   hat was mit männlichen Genitalien zu tun und – man staune – mit dem weiblichen Zyklus. Echt ein Ei. Da fällt einem echt 'n Ei aus der Hose. Da läuft dir 'n Ei aus. Du hast wohl 'n Ei auf dem Dach. Mädchen unter sich: »Du hast wohl 'n Ei am Wandern?« Soll angeblich Sub-Deutsch sein. Aber, sorry, ich hab' das noch nie von einem Mädchen gehört – desgleichen alle Mädchen, die ich bisher fragen konnte. Falls es ein Girl doch irgendwo geben sollte, das das mit dem Ei am Wandern mal rausgelassen hat, bitte, schreib mir sofort!

Eier   Knete und so. Siehe: Asche

sich einbringen   Spitzen-Phrasen-Verb für ganz orthodoxe WG-Trockendiskussionsabende. »Also weißt du, die Irmtraud, daß die sich nie mal selbst einbringt!«

eindrücken   auswendig lernen, in sein Bewußtsein kneten, z. B. diesen »Aufruf an alle Frauen zur Erfindung des Glücks«: »Wir sagen in aller Öffentlichkeit: wir sind süchtig. Sehnsüchtig und durch nichts aufzuhalten, in diesem Begehren, unserer Wildheit, unserer Stille, unsere Lust zu leben! Frauen mit und ohne Mann! Frauen mit und ohne Angst! Seid leichtmütig, werdet Ausbrecherinnen aus der Gewaltnation, Ausbrecherinnen aus der Schreckensherrschaft! Tanzt aus der Reihe!« (Frankfurt, Oktober 1977)

auf etwas einflippen   darauf total abfahren

eingefahren werden   von der Polizei (gepflegtes Hochdeutsch) chauffiert werden

sich in etwas einklinken   sich in ein Gespräch einmischen, in etwas reinhängen, in einen Trend wie Bauchtanz, Tango oder Enthaltsamkeit

einmachen fertigmachen, z. B. den Sepp mit dem Sprüh-Spruch auf dem Klo seines Stamm-Cafés: »Sepp verpiß dich / keiner vermißt dich!«

einpfeifen essen, trinken. Gulp! Brech! Würg!

einrasten Gegenteil von siehe ausrasten

einsam Sub-Attribut mit erstaunlichen Rückschlüssen: steht für super, wahnsinnig, irre – dollo. Der Zustand der Einsamkeit, nicht gerade das erklärte Ziel der Szene-Treter(innen), der Hausbesetzungen, Demos, WGs, Solidaritäts-prozesse, Sit-ins, der Selbsterfahrungsgruppentherapien, astralkapitalistischen Arbeitslagersekten, Kollektive (fehlt noch was?), macht sich da plötzlich überaus lautstark als Idealzustand des Besonderen breit. Oder ist es apart gebrochene Ironie, die sich auf die Einsamkeit unserer Beton-Hemisphäre bezieht? Einsame Klasse, Spitze! Echt einsame Frau! Sprache ist alles – die Welt. Und wir sind lediglich 'ne phonetische Reflexion...

Elch dank Schwedens unmöglichem Möbelhaus, dem Woolworth der Linken und Gelinkten, in die Szene einge-meindetes Nordlandtier. »Ich werd' gleich zum Elch« – »Meine Geduld ist gleich am Ende!« Anna glaubt, es knutscht sie ein Elch: Anne ist ungläubig überrascht. Als im Frühjahr die Holzelch-Zentrale in heimtückische Flammen aufging, schlagzeilte die »taz«: »Der Elch war's!« Ein Ange-stellter, Mitglied der möbelhauseigenen Feuerwehr, hatte da abgefackelt. Er war, wie er zu Protokoll gab, echt zum Elch geworden...

sich emanzipieren »Emma«, »Die wöchentliche Cou-rage« abonnieren, statt »man« »frau« sagen und schreiben, nie wieder etwas »herrlich« finden, ausrufen: »Gott ist wie

wir – SHE is BLACK!«, sich als »Emanze« beschimpfen lassen, kurz: ein ganz normaler ausgeschlafener Mensch sein,
mit dem »man« mehr anfangen kann als mit 'ner tadellosen
Schaufensterpuppe, nämlich leben.

empty Mein Freund Baby Ben würde das so erklären:
»Wenn die Kneipe empty ist, hat jemand in den Ventilator
geschissen...« Noch Fragen?

eng Sponti-Shorty für engstirnig

Erwartungshaltung Sub-teutonischer Klassiker für part-
nerliche Aussprachen. Keine Beziehungsscheiße ohne dieses Psycho-Juwel des drögen Schliffs

ergeiern wie ein Geier blitzschnell ergattern, z. B. einen
Stehplatz an Brunos Seite, der den Graffito erfunden und gesprüht hat: »Lieber schwul als nie...«

ey ey, Kids! Der Anrede-Evergreen Hey auf heute. Gereizt
ausgesprochen nur in diesem Sinne: »Eeeeeeehjiiih, Alter,
schiebste nu Knete rüber oder nich?«

Fanzine   Maga-zine für Ama-teure, von Fans für Fans

Feeling   Wer keinem Gefühl mehr traut, sagt Feeling. (»Viele gute feelings für heute...«). Und der windet sich manchmal sogar echt grotesk: »Da kommen total gute Feelings rüber!« Von wegen: Gefühl bleibt Gefühl, und es zeugt nur von Sensibilität, wenn der junge Mensch die hemmungslos abgeklapperten Zungenschläge seiner Vorgenerationen bloß nicht anrührt. »Ich liebe dich« und so was ist, zumindest momentan, ausrangiert, hängt wie der Konfirmandenanzug im Schrank und schimmelt vor sich hin. Wer nowadays liebt, hat ein Feeling, ein Gefühl für. Es lebe der Sub-Stantivismus. Die Verben macht man/frau eben einfach, ohne groß darüber zu reden...

Fehlanzeige   nix da, da läuft nichts

vom Feinsten   Rock vom Feinsten. Das geht vom Feinsten ab. Nö. So reden höchstens noch Discjockeys im öffentlich-rechtlichen Rundfunksystem, die kurz vor der Pensionierung mal noch rasch den kleinen ARD-Sponti rauslassen. Höre Peter Illmann von »Formel 1« oder Thomas Gottschalk (oder wenn du in Bayern subst, das Kommerz-»Radiopa Brenner 1« mit seinen Außermoderatoren), und du weißt, was garantiert nicht mehr in ist

Fete   Also noch so 'ne Antiquität, und ich stoße hier auf Dinosaurier-Zähne!

fetzen   Gibt's unter f nichts Aktülles? Das fetzt! Fetziger Rock. Siehe Kommentar vom Feinsten

ficken   Es hört nicht auf. Ein Trost. Dieses Tätigkeitswort kommt wenigstens nicht über die Betäubungs(Sprich: Äther-)wellen. Fick dich ins Knie: Leck mich am (im) Arsch. Die genaue Differenzierung von ficken, im Vergleich zu bumsen und vögeln, siehe: bumsen

Fighter   J. R.

Film   Der Film, der dort abläuft: eine fragwürdige Äktschn. Interessant, wie hier der Kunstbegriff Film als Täuschung in die Umgangssprache hineinflimmert. Im falschen Film sein: Höchste Zeit, die Kurve zu kriegen. Jemanden filmen: jemanden reinlegen. Diese Formulierungen sind Zeitdokumente. Mach dir ein paar schöne Stunden, geh lieber in die Ssssiehn...

finster drauf sein   sich mies fühlen

fix und foxi   fix & fertig

flambieren   abfackeln. Zündel, zündel. Aber nur mit Sicherheitszündhölzern

Flash   Blitz. Die Wirkung von Heroin und Opium, die kurz nach der Injektion eintritt. Davon leitet sich der Flash ganz allgemein ab, den du kriegst, wenn dich was törnt

flashy   Fummel mit optischem Knall

Flatter Mach 'ne Flatter: Hau ab. Die große Flatter bekommen, den Flattermann machen, flattern: Schiß haben. Flattermann außerdem: »Wiener Wald«-Brathähnchen und die Entzugstorturen des (siehe) Junkies

eine **Fliege** machen   S-s-s-s-s-s-s-s-s!

flippen Dieser Shooting-Star und Dauer-Hit der Sub-Sprache ist mittlerweile sogar bei den Jahrgängen angekommen, die noch den Ersten Weltkrieg mitgemacht haben. Und alle Welt weiß, daß dieser flotte Zwei-Silber von den Schwanzbewegungen des Fernseh-Tierchens Delphin (»Flipper«, schwarzweiß) herstammt, die sich wiederum in die Mechanik der Flipperautomaten niederschlugen. Hier die flippigen Variationen. Ausflippen: Yeah, da flippst du aus: so schön kann das Leben sein, aber – das flippt mich tierisch: das nörvt mich, ausgeflippt: irre, völlig ausgeflippt: total irre. Tja, sogar die Flippigkeit gibt's. Flip: unerwartete Wende (Nee, nicht die!). Die Ausgeflippten: Spontis, Freaks und andere Subs. Flipper: Typ, auf den kein Verlaß ist. Flipper-Fraktion: Mitmenschen, die flippen und flippern und Löcher in den Jeans haben. Flippi: Hallodri. Jemandem einen abflippen: zu stürmisches Petting im Autokino. Usw.

Flop Schuß in das alternative Heizsystem, sprich: Ofen, floppen: scheitern, wenn z. B. Nena noch einmal in den USA Nummer eins werden will

Floppy Taugenichts Anno 1984. Wieder so ein Szene-Vorreiter aus der Computer-Neusprache. Die Floppies sind die schallplattenähnlichen Magnetfolien zum Aufnehmen und Wiedergeben der Computerdaten und -programme. Floppy Discjockey: So ein Uptodate-Wolfman-Jack, der sämtliche Effekte aus den Computerschränken rausholt. Achtung, dieser Neutypus ist gewaltig auf dem Vormarsch.

FM UKW. Die Welle der Freien Radios, Contradios, die zwischen 100 und 104 Megahertz aufwiegeln, bis die Polizei kommt und den illegalen Sender plus Tonbandkassette in einem geklauten Auto ausgepeilt hat. Frequenz- und Programmansagen in deinem Alternativ- und Magenblatt

Freak hat den überholten Sponti abgelöst

Freßleiste Mund. Jemanden eine auf die Freßleiste geben. Die Freßleiste hochziehen: lächeln

Frust immer dabei. »Dreht euch nicht um – der Frust geht um!« Nerverei bis auf den Frustpunkt, frusten: jemandem die vollen Depri-Einheiten reindrücken

Frustrat(in) Siehe Abtörner(in)

Frost Angst. Ist fast schon Poesie

Fundamentalo Basis-Grüne, Fraktion Fundamentalopposition, die lieber koitieren, als koalieren

funktionieren Sub-Lehne aus der Geräteindustrie: sich tadellos aufführen mit 50-Jahre-Garantie-Schein. »Ihr wollt doch nur, daß ich funktioniere« – der Stoßseufzer der Schüler(innen)-Generation

fummeln geil tatschen, grapschen, heckern. Fummel: das Aparteste vom Müll

Fuzzi Wer liebt ihn nicht, Fuzzy, den unsterblichen »Helden der Prärie«, der eine Schmunzelfresse hat wie frisch von der Dampfwalze aufgebügelt? Und daraus ist das geworden: das Synonym für lächerliche Oldies. Lieblingswort von Lindi Udoberg (»Schlagerfuzzis«)

G

Gag Warte bis zum nächsten Sponti-Teuton-O-Ton!

galaktisch Perry-Rodanesk, echt voll völlig losgelöst

garantiert Eines von den dubiosen Füllseln aus der freien Marktwirtschaft der garantiert glaubwürdigen Straßenverkäufer: für den/die mit Ohren deutet es die Fragwürdigkeit der garantierten Aussage an

gebongt okay. Haben wir das nicht schon gehabt? Ach, ja, unter bongen

gefilmt Na, das war doch auch schon (unter Film) da

Gefühl Und das unter Feeling! (Was 'n hier unter G los – nur alte Hüte? Sorry. Kann's nicht ändern. Ich schmeiß' jedenfalls kein Wort in den Papierkorb)

geil alles, was (antik-szenisch) dufte ist. Geil sein auf: z. B. 'n Kaffee und so, aber bloß nicht auf Renate oder Renato! Affengeil, saugeil. Ist sogar schon in die Werbung eingesickert. In Bayern zumindest gab es die Plakataktion eines Tiroler Skigebiets, bei der sich ein Sonnengebräunter als »gletschergeil« auswies. In diesem süßen Wörtchen, das unsere Vorväter und Vormütter gerade mal in stillen Stoßzeiten rhythmisch zu hauchen wagten, sitzt ein Explosiv-Subversiv-Rebellenteufelchen drin

Geier Weiß der Geier, aber seit Geiersturzflug wieder aus dem Nähkästchen der Karl-May-Ära raus

genervt gereizt

Genosse »Wer hat genießt, Genossen?«

Gent ironisch für Schicki. »Gent bleibt Gent, und wenn er auch im Rinnstein pennt.«

Germoney das Land, in dem sich viele junge Menschen beim lebendigen Leib BeeRDigt vorkommen

Geseier(e) was man/frau nicht mehr hören kann, bezieht sich meist auf die Big Mäcs in Bonn

gestresst nervlich und körperlich geschlaucht

Gesülze gleich Geseiere

G(h)etto zwangsläufige Isolation

getürkt übel diskriminierender Ausdruck, der Türken mit Fälschern und Lügnern gleichsetzt – ist in der Szene tabu. Ist ersetzt durch: gefaket (gefäigt) vom englisch-amerikanischen fake

Gig Auftritt, Konzert, Show

Giftzwerg(in) Schlagwort für die allerneueste Jugendbewegung? In der Woche des Jugendprotestes in Bremen, Ende März 1984, gingen über 5000 Schüler(innen) auf die

Straße. Jetzt rollen die Kids an. »Ihr Giftzwerge«, nannte der Bremer Polizei-Kommissar Löwe die Vertreter der neuen Generation. Der »taz«-Reporter war dabei. Seitdem ist diese Etikettenbezeichnung überregional da...

Glimmer   Rausch vom Saufen

Glocke   Kopf. Einen auf die Glocke kriegen. Dingdong

Glotze   Gibt es ein schöneres Wort für den Frustratenkarton in der Wohnzimmerecke? Der Sub-Witz enthüllt messerscharf: Wer fernsieht, sieht nicht, schaut nicht, der glotzt

Gomera   Das Winterquartier der interteutonischen Sssssiehn. Mit DM 650 Flugkosten ist jeder Edelsponti dabei. Von Teneriffa ab 20 Uhr mit der Fähre nach San Sebastian, mit dem Bus ins Valle Gran Rey. Dieses letzte Sub-Paradies auf den Kanarischen Inseln an der Nordwestküste Afrikas ist ideal für Arbeitslosenunterstützung und Bafög: die Zigarettenpackung kostet dort fünfzig Pfennige, die Flasche edelsten Cognacs zehn Eier. Man/frau wohnt dort in WGs und darf sich »in« fühlen

G'raffelitis   vom bayerischen G'raffel: Trödelleidenschaft, Flohmarktmanie

Graffiti   macht dem toten Beton tänzerische Beine. Aus der Sprühdose und der Fantasie an die Wand, Mauer, an Brückenpfeiler, Fassaden, an alles, was uns einkerkert. Seit Harald Nägeli, dem »Sprayer von Zürich«, ist diese neue Kreativität populär. Die deutschen Gerichte nennen es Sachbeschädigung. Dabei ist für Sub-Rembrandts längst 'n Job daraus geworden. Anzeigentext in der Münchner Stadt-Zeitung: »Original New Yorker Graffiti Art und Wild Style z. B. als Raum- oder Party-Deco sprüht Steve Tel.

786392...« Mehr über die zischende Volkskunst siehe: sprühen gehen

Gras Marihuana, Haschisch: Heu, Pot, Shit, Tea, Kongogras, Keniagras, Ganja

grell ätzend

Gummibär »Freiheit für die Gummibären! Zerfetzt alle Plastiktüten!« Bedeutet auch: Fromms, Pariser, Swinging-City-hauch-dünn

Guru Leithammel, von Oregon bis Neuss, Wolfgang, Sub-Berlins Sensationshascher Numero Uno

gut kommen aus dem Sexalltag: Spaß machen

H (englisch ausgesprochen: Äitsch) heißt Heroin, Dope, Hard stuff, mit der Pumpe gedrückt oder gesnieft (gesnifft)

Hacke einen an der Hacke haben: blau sein, spinnen

Hacker von hacken. Nö, kein Synonym für bumsen. Das sind die Hyänen – meist Kids – unter den Computer-Abfahrern, die sich in fremde Computer (hacken) schleichen. In Hamburg gibt es bereits den »Chaos-Computer-Club«. Hast du heute schon gehackt, Baby?

Hammer ohne Sichel. Das ist ein dicker Hammer. Der dicke Hammer kommt noch. Synonym für Schwanz, Ständer, Pimmel

Hänger einen Hänger haben: tote Hose, k. o., total abgebrannt sein. Das harmloseste Downsein prangt als Zweizeiler bei Jan im »Cafétarium«, Knesebeckstraße, Berlin: »Ich sitze hier am Mittelmeer / Und habe keine Mittel mehr« auf'm Männerklo

Hardware sind immer die Geräte, auf denen man/frau Softwaren abdudeln kann. Computervokabel, die längst in den Genitalbereich und in andere sekundärgeschlechtlichen Bereiche gerutscht ist

Härte »Gefühl und Härte« besagt was anderes, als du vielleicht meinst. Härte gleich das Totale. »Groucho Marx ist echt die Härte.« Ist eben einzig und total. Kann nicht verborgen, verknetet und auf diese oder jene Interessen hinfrisiert werden

Harter Er läßt mal wieder den Harten raus. »Rein wäre schöner«, würde Mr. Marlboro seufzen

Haß Ich hab' 'n Haß auf. Sub-Stantivismus muß sein

Hau Macke. Einen Hau haben: meschugge sein

Häuser um die Häuser gehen. Siehe: Piste

heavy Gegenteil von easy. Echt heavy: problematisch, dröge

heiß geil

heraushängen meist mit lassen: eine Rolle spielen. John Wayne läßt den Chauvi im Sattel voll raushängen

herummachen an jemandem: fummeln. Mit jemandem: eine Art Beziehung ohne heavy-Einheiten

herumpissen sich um etwas herumpissen: drumherumreden, nicht zur Sache kommen. »Zur Sache, Schätzchen« müßte heute heißen »Piß nicht herum, Schätzchen.«

Hetero Mann liebt Frau, Frau liebt Mann, und das soll alles sein?

Heu siehe: Asche

Heyday Jubeltag, Hoch-Zeit. Rudi Dutschkes Heyday: um 68 herum

high happy zum Quadrat. Die Wurzel von happy siehe down

Hippie ist heute nur noch Hunde- oder Katzennahrung aus der Konserve

hirnrissig dumm-doof. Dämlich gibt es nämlich nicht mehr, fällt unter Frauendiskriminierung. »Du hast wohl 'n Hirnriß!«

Hit Sub-Senioren-Deutsch: das Größte. Etwas ist der Hit: affen- oder saugeil

sich **hochtrippen** sich mäßig, aber regelmäßig dröhnen

hochziehen sich an etwas oder jemandem: sich aufgeilen, z. B. die bürgerlichen Medien an dem Busen-Grapsch-Heckmeck der Grünen-intim

hochziehen sich an etwas: auf sein Standardthema kommen. Jemanden hochziehen: ihn (sie) in bessere Stimmung bringen

Hohler Blödtyp, Macker, Alter, Stecher, Gent, Schicki

holzen grob werden. Rumholzen: Ohne Pardon sein Thema durchziehen

Horn jemandem ein Horn (einen Scheitel) ziehen: verprügeln, abmischen, aufmischen

Horror Dauergreen aus dem Alt-Frankensteinischen. Den (einen) Horror haben. Etwas ist der Horror. Kurz: 'n Horrortrip

tote **Hose** nix rührt sich mehr, bezieht sich auf alles, was ungeil ist, siehe: Hänger

hotten tanzen, breaken

Hufe in die Hufe gehen, kommen: losbrettern

Hugo Zarette (hochdeutsch Zigarette)

Hündi Hundertmarkschein. Auf 'n Hündi kommen: arbeiten müssen, und zwar nur zwecks der Knete

hungerstreiken Auch das gibt's im Sub: aus mühseligen, hölzernen Substantiven (wie in den Hungerstreik treten) wird ganz easy ein Verb. »Der seit drei Wochen hungerstreikende Janusz Palubicki...« (taz-Zitat) Wie urlauben, blockieren etc.

Identität Von der alten Psychiatercouch direkt in den Unter-Alltag: das Bewußtsein, das du von dir hast (oder zu haben meinst). Seine Identität verlieren: die Konsequenz ungeiler Jobs und Lebensformen (»Angepaßt ist angepißt!«). Sich mit etwas, jemandem identifizieren: sich dort und darin erkennen

in nicht out

Info Cut für Information

inhaltlich wesentlich. Voll inhaltlich. Sorry, das sagt auch Bundeskanzler H. K. »Werd doch mal inhaltlich«, alltäglicher WG-Jargon, der darum bittet, keine Schnörkel in den Schnee zu pissen und endlich zur Sache zu kommen

öde **Insel** nichts los, tote Hose, Null Äktschn

instandbesetzen Das einzig Schreckliche an dieser Tätigkeit ist dieses unfaßbare Behördendeutsch. Kurios, daß ausgerechnet das miese Gegenteil, nämlich kaputtsanieren, den Brillanz-Sound draufhat. Instandbesetzer, Hausbesetzer, warum haben wir kein kongeniales Ding für Kraker (made in Amsterdam) hingekriegt? Nun, der Zug ist abgefahren. Jetzt stellt sich die Frage: Wann wird der deutsche Wald instandbesetzt? Siehe: Wutzer(innen)

irgendwie Zweifel- und Unsicherheits-Füllsel. Irgendwie unheimlich tierisch. Geht meist Hand in Hand mit und so

irre Antik-Sub für geil. Irre Show, irrer Typ, irre was los. Dieser ganze Wahnsinn

ital Lehnwort aus Jamaika, aus der Reggae- und Rasta-Sprache. Ital food: natürliches Essen. Schluß mit der Entfremdung zwischen Verbraucher(innen) und Erzeuger(innen), zurück zur verinnerlichten Beziehung zwischen Stadt und Land. Die Lebensmittelcooperativen. Statt Schmalzstullen auf den Festen Müsli. Brot backen, Kefir ansetzen und weitergeben, Kochworkshops – was man/frau alles mit echten Körnern machen kann. Direkt beim Bauern einkaufen, noch besser bei den Landkommunen. Auch mal dort mitarbeiten. Von unterwegs gute Nahrungsmittel mitbringen. Auf Kreta schöne Kräuter sammeln. In Dritte-Welt-Läden einkaufen. Alternative Bäckereien unterstützen. Sich selber seine (ihre) Tomaten, Karotten usw. anbauen – auf dem Balkon oder selbst im Hinterhof. Möglichst auf Kaffee und Tee pfeifen, denn die übersäuern den Organismus und machen die Heilwirkung von Kräutern zunichte. Dafür lieber Kräutertees und die variieren. Brennesseln und Brombeerblätter gibt's überall, und sie ähneln verblüffend dem schwarzen Tee. Zum Süßen auch nicht den braunen Zucker – nur Honig. Ohne Dampfdrucktopf kein ital food. Tja, es gibt viel ital zu essen und zu trinken, packen wir's rein!

Jailer Knacki, von englisch Jail

Joint selbstgedrehte Zigarette mit Shit. Wolfgang Neuss im deutschen Fernsehen: »Auf deutschem Boden darf nie wieder ein Joint ausgehen!«

Juckpunkt was dir wo juckt. Siehe: Punkt

Junkie ist dem Junk ausgeliefert, und englisch junk steht für Mist, Dreck, Müll und – Drogen. Kleine Durchblicke-Pause. Junk food gleich fast food: Hamburger und andere Papps. Der Wahnsinn des Drogenabhängigen hat sich mittlerweile wörtlich auf alle (wesentlich harmloseren) Lebensbereiche ausgeweitet: Vinyl-Junkie – Platten-Freak, TV-Junkie – Glotzenfixer und so fort. Ein poppiges Wort also, der Junkie? Es entbietet nicht der Methodik, die Alpträume der anderen für sich in gar fröhliche Futzelformulierungen umzufunktionieren und damit ad acta zu legen. Es ist überhaupt nicht geil, ein Junkie zu werden, zu sein und nicht mehr zu sein. Warnende Choräle mögen andere singen. Ich zitiere aus der »Konzeption einer Wohngemeinschaft für Drogenabhängige«, die an nichts einen Zweifel läßt: »Jeder, der bei uns neu aufgenommen wird, sollte sich in die Gruppe integrieren. Wir versuchen, in einer angstfreien Umgebung zu leben, durch intensive Gespräche uns über unsere Problematik bewußt zu werden und uns gegenseitig zu helfen und zu kontrollieren.

Für ein intensives Zusammenleben in der Gruppe sind bestimmte Regeln und Verhaltensvorschriften notwendig, an die sich jeder ohne Ausnahme halten muß, um die Rückfallgefahr möglichst niedrig zu halten.

Regeln

– Die Nichteinhaltung der Regel zieht den Ausschluß aus der Gruppe nach sich –

1. Drogenregel
Keine Einnahme jeglicher Art von Drogen (auch Alkohol und Aromastoffe zählen wir dazu). Ebenso verboten sind alle Drogenutensilien.

2. Scene-Regel
Sämtliche Lokale bzw. Orte müssen gemieden werden, wenn die Gruppe sie zur Scene erklärt. (Scene = Plätze, wo Drogen gehandelt und/oder eingenommen werden) Kontakte zu Scenefreunden und Drogenabhängigen sind nicht gestattet.

3. Gruppenbeschluß
Alles, was mehrheitlich von der Gruppe beschlossen wird, muß eingehalten werden. Gruppenbeschlüsse können nur auf dem Plenum gefaßt werden.

4. Gewaltregel
Sämtliche körperliche Gewalt sowie Androhung von Gewalt ist verboten. Damit wir gewährleistet, daß ein körperlich Schwächerer sich in Diskussionen angstfrei äußern kann.

5. Kriminalität
Es versteht sich von selbst, daß keiner der hier Lebenden kriminelle Handlungen begeht oder plant.

6. Acht-Wochen-Regel

Jeder, der neu in die Gemeinschaft aufgenommen wird, unterzieht sich der Acht-Wochen-Regel. Sie bzw. er kann in dieser Zeit das Grundstück nicht alleine verlassen, kann nicht selbst telefonieren oder Gespräche entgegennehmen, kann keine Briefe schreiben (Amtsschreiben werden gemeinschaftlich beantwortet) oder unzensiert entgegennehmen, hat keine Möglichkeit, Kontakte außerhalb der WG zu intensivieren, auch nicht zur Familie. In diesen acht Wochen kann auch keine sexuelle Beziehung innerhalb der Gruppe eingegangen werden. Wie jedem Mitglied der WG stehen ihm DM 25.– wöchentlich als Taschengeld zu, die ihm aber in dieser Zeit und vier Wochen darüber hinaus bis zur 12. Woche nur ratenmäßig ausgehändigt werden (z. B. für Zigaretten).

Diese sechs Regeln sind Gruppenregeln, über die zwar nachgedacht, aber nicht diskutiert werden kann. Sie stehen fest, jede Änderung würde eine Aufweichung des Konzepts bedeuten. Sie wurden nicht gemacht, um Leute einzusperren, sondern um sie zu schützen.

Wir gehen davon aus: je länger jemand hier im Hause lebt, desto mehr Dinge hat er aufgrund der größeren Stabilität verinnerlicht.

Resultierend hieraus gibt es natürlich Unterschiede zwischen den einzelnen Gruppenmitgliedern, die sich in Verantwortlichkeiten und Privilegien ausdrücken.

Verhaltensregeln

Wir erwarten, daß sich jeder an den aufgestellten Tagesplan hält. Festgelegte Gemeinschaftsaktivitäten verpflichten jeden zur Teilnahme. Es ist generell nicht erlaubt, auf dem Zimmer Musik zu hören. Im Haus darf erst ab 16 Uhr Musik gehört werden, in gemäßigter Lautstärke. Eine Ausnahme bildet eine Gruppenarbeit oder -aktivität.

Die Nichtbeachtung der Verhaltensregeln, die für alle gelten, zieht Sanktionen nach sich – (Die Sanktionen sind so gewählt, daß der/die Betroffene etwas für die Gruppe tun muß.).

Verantwortlichkeiten
Jeder, der bei uns lebt, muß vom ersten Tag an für bestimmte Sachen verantwortlich sein.
 – in den ersten 8 Wochen: täglicher Küchendienst
 – ab der 9. Woche: Einkaufsdienst – Arbeitsverantwortlichkeit
 – ab einem Jahr: Kassenverantwortlichkeit

Privilegien
Der Erhalt von Privilegien ist von der Gruppenentscheidung darüber abhängig, ob der/diejenige seine/ihre Arbeit und Verantwortlichkeit zur Zufriedenheit der Gruppe erfüllt hat.
 – ab 8 Wochen hat man/frau die Möglichkeit, alleine auszugehen; jedoch höchstens bis 2 Uhr früh.
 – ab 3 Monaten darf man/frau alleine mit dem Auto fahren.
 – nach 6 Monaten kann eine Außenperspektive (Schule etc.) angegangen werden. Des weiteren besteht ab diesem Zeitpunkt die Möglichkeit, außerhalb des Hauses zu übernachten.
 – nach einem Jahr frühestens kann alleine verreist werden.

In der Gruppe übernimmt man/frau mit der Zeit mehr Pflichten und Verpflichtungen sich selbst und der Gruppe gegenüber. Unabhängig davon, wie lange schon jemand in der Gruppe lebt, muß sich jede(r) in unregelmäßigen Abständen einer Urinkontrolle unterziehen, denn

Vertrauen ist gut – Urinkontrolle ist besser

Tagesplan

7.00 Uhr	Frühstück
8.00–9.00 Uhr	Saubermachen der Gemeinschaftsräume
9.00–14.00 Uhr	gemeinsame Arbeit
14.00–16.30 Uhr	Freizeit
16.30–ca. 18 Uhr	gemeinsame oder individuelle Aktivitäten

Ende des Zitats einer »Konzeption einer Wohngemein-schaft für Drogenabhängige« (aus »WestBerliner STATT-BUCH 1«, Berlin, August 1978)

Junkie ist kein poppiges Wort. Nix Chices. Das vielleicht einzige, was auf diesem Planeten KEINEN EINZIGEN Ver-such wert ist.

Juz(e) Jugendzentrum

Kacke meistens am Dampfen. Dies ist der Punkt, wo man/ frau sehen muß, wie man/frau wieder aus der Scheiße raus- kommt

Kalkleiste verkalkte Altvorderen

Kappe Synonym für Durchblick. »Ihr seid da wohl eh et- was neben der Kappe, ihr tazler!« – erboster Leserbrief an die »tageszeitung«

kaputt »Ich geh' kaputt – wer kommt mit?« – »Macht ka- putt, was euch kaputtmacht!« Etwas kaputt haben: die Nase voll. Sooo kaputt sein. Kaputter Haufen

Karton figürlich für das, in dem wir uns (verschnürt, fran- kiert, verschickt) befinden. »Ruhe im Karton!« – populärer Kneipenruf

Keks auf den Keks gehen: nörven. Scherzkeks: Witzbold. Weicher Keks: Birne (nicht Helmut Kohl im Cartoon), Kopf, Ballon, Glocke, Gong, Tüte

Kick Alles, was affengeil ist und törnt und powert und dich high macht, gibt dir einen Kick

Kid Vor-Teen und Teen. Wenn ein Kid auf die Straße geht – siehe Giftzwerg(in)! Eine Spur verächtlich gemeint, wenn es von Älteren ausgesprochen wird. Punk-Band Slime stellt richtig: »Es ist nicht so, daß ein 15jähriger völlig eingefahren ist, selbst wenn er in die Disco geht…« Neee!

Kiff Haschisch. Kiffen. Kiffer. Wolfgang Neuss: »Ich hab' noch einen Kiffer in Berlin.«

Kiste Alles und nichts, auf den Zusammenhang achten. »Raus aus der Anonymität, machen wir uns die Kiste angenehmer und gehen wir auf Kontakt« (taz-Leserbrief). Dann fängt die Kontakt- und Beziehungskiste an. Von einer Kiste in die andere. C'est la vie!

etwas **klarkriegen** auf die Reihe schieben, durchblicken, zu einem guten Ende vorantreiben

Klemmchauvi Sub-Spontifex, frisch aus der grünen Fraktion auf den Thekentisch: Copyright Josef »Joschka« Fischer (Grünen MdB), wörtlich: »Mir gehen die Klemmchauvis viel mehr auf den Sack, die da plötzlich in serviler Ergebenheit, jeden aufrechten Gang und sonst manches Aufrechte beiseite lassend, auf breiter Schleimspur der Frauenemanzipation hinterherkriechen. Das ist wieder mal eine der deprimierenden Erfahrungen. Das heißt ja nicht, daß man zur Frauenunterdrückung schreitet, wenn man ein männliches Selbstbewußtsein hat. Man kann ja ein Schuft sein. Nur, so zu tun, als wäre man es nicht und ist es doch, finde ich ziemlich ätzend.« (Gesagt 6. April 1984 zur Machtergreifung des Grünen-Weiber-Feminats) Well, das ist Sprache aus der Realität, nicht aus gläsernen Türmen am Rhein.

sich **kloppen** hat mit dem Teppich die Handbewegung gemein, jedoch nicht mit Reinigung

Knack was am Kopf oder Safe-Knack, wenn Spätvorstel-lungs-Freaks über »Rififi« herziehen

Knackarsch Sorry, ist negativ, Szene-Feministisch für: Arschloch, Spießer, Wichser

Knacki: Jailer, der/die verknackt wurde

Knackpunkt wo Bündnisse (Grüne/SPD, auch intimere) dran scheitern und zerbrechen können

knallen kommt wohl aus seligen Champagnerzeiten. Sich einen reinknallen, in der (knalligen) Nacht einen knallen: saufen, schlucken

knallhart straight, konsequent. Eine Forderung (»Uwe, noch 'n Pülls!«) knallhart durchsetzen

Knete Was rauskommt, wenn man/frau die Eltern bekne-tet: Eier, Mäuse, Kohle u. v. a. Siehe: Asche

KOB Kontaktbereichsbeamter der Pullizei, Bulle ambu-lant mit Piepsdings in der rechten (niemals linken!) Hand, von der älteren Generation förmlich geliebt, von der jünge-ren ziemlich weniger. Merke: Eine WG ohne KOB-Besuch ist keine WG

Kohle haben wir nun schon x-mal gehabt. »Ohne Moos ein Trauerkloß?« Von wegen!

Koks Kokain, C, Charlie, Schnee, Happy dust. Koksen: Kokain sniefen (sniffen). Nur die internationalen Dealer-Gangs und -multis reiben sich die Hände, und sie haben die heißeste Public Relation, Publicity und Imagepflege – das Showbusineß mit 45 oder 33 Umdrehungen in der Minute

Kollektiv   zwei Arten: das Arbeitskollektiv, das Lebenskollektiv. Einheitslohn (Kindergeld extra), kein Big Mäc. Längst aus den Experimentierstadien raus. Merke: Wer Arbeit strikt ablehnt, vergißt vielleicht, daß er seine konkreten Erfahrungen von Arbeit mit Arbeit überhaupt gleichsetzt – nicht Arbeit an sich ist total ungeil, sondern die Bedingungen, unter denen sie größtenteils bei uns abläuft! In den Arbeitskollektiven winkt die Chance, diese Bedingungen zu ändern. Die eingefahrenen, hierarchischen Oben-Unten-Strukturen mit dem Entfremdungsappeal werden ersetzt durch die Gleichberechtigung aller Mitglieder. Individuelles Eigentum wird abgeschafft und zum Kollektivum. Demokratische Selbstbestimmung des Arbeitsmaßes und des Produkts. Weg von der Spezialisierung einzelner Mitglieder – die Trennung von Hand- und Kopfarbeit hat ja sofort wieder Oben-Unten-Strukturen zur Folge –, hin zum Rotationsprinzip, damit jede(r) alles kann. So entsteht Zusammenarbeit, die jede individualistische Gegeneinander-Arbeit ablöst. Noch idealer ist es mit den Lebenskollektiven, in denen die Trennung von Wohn- und Arbeitsbereich, von Freizeit und Arbeit völlig aufgehoben wird (z. B. im Agrarkollektiv auf dem Lande). Jeder Alternativbetrieb ist quasi eine verkörperte Gesellschaftskritik. Ein handfestes Vor-Leben. Gerade angesichts der wachsenden Arbeitslosenzahlen, gibt es am Kollektiv nix mehr rumzulästern. Noch ein Punkt: Leute aus dem Knast, Drogenabhängige, politisch Unerwünschte, denen im sogenannten normalen Werkalltag grundsätzlich die Tür gewiesen wird, kriegen im Kollektiv ihre Chance. Wenn du das mal geschnallt hast, wirst du dein Kaufpotential gezielt in der Subkultur zirkulieren lassen. Kauf nicht beim Koofmich, sondern im Kollektiv!

Kollesche   Uralt-Vokabeln phonetisch geschrieben oder betont mundartlich ironisiert ausgesprochen, kriegen neuen Glanz. Geht natürlich auch mit Kolleschin

Kommando bewaffnete Kampfeinheit oder Spaßguerilla-Brainstorm, wendet sich an dpa oder BILD-Buxtehude und erklärt sich verantwortlich für…

Kommune vom Staub der Zeit zugedeckt

konkret Füllsel, Gegenteil von abstrakt und drumherum. Ein konkret geiler Film: »Werd doch mal konkret, Mädchen!«: raus damit, was du auf dem Herzen hast

konspirativ Schon eher das Lieblingswort vom Bundeskriminalamt, das sich auf ständiger Wohnungssuche befindet: verschwörerisch

korrekt bedeutet nur noch eins: anstrengend. »Ich hab' ne echt korrekte Saison vor mir«, seufzte der Student, als das neue Semester begann

Körnerfresser Der Müsli-Freak kann leicht damit leben, daß er ausgelacht wird

KOZ Kommunikationszentrum. Sollte jedes gute Café, jede gute Kneipe sein, leider nur in Bärlin durchgehend geöffnet

Kralle Auch so ein Wörtchen, das schon vor Urzeiten von der »In«quisition freigesprochen worden ist: Hand. Bares: auf die Kralle

kriminalisieren Auch für dich ist stets ein Plätzchen frei im BKA-Computer

Lappen   siehe: Asche

den **Larry** machen   Vielleicht kommt's von Larry Hagman alias J. R.: Putz machen, aber auch: sich (solo!) auf die Couch packen

legalize   Peter Tosh's »Legalize it!« wird noch lange dudeln, bis dein Supermarkt an der Ecke Jamaikas Ganja im Sonderangebot hat. In New York ist das »Gotteskraut« allerdings schon auf Rezept erhältlich. Paff! Notorisch auch: »Legalize Himbeereis!«

libertär   Die Ökolibertären sind im Anrollen – die »ökolibertäre Strömung« fängt das Glucksen an. Da anarchistisch – im klassischen, idealen Sinne – nur noch mit Mord, Kidnapping, Totschlag und Bombenwerfen gleichgesetzt wird, ist das (bisher) unbefleckte Wörtchen libertär dafür eingesprungen. Entstaatlichung auf ökologisch? Naturbeziehung, Heimat auf alternativ? Von den Libertären wird noch viel zu hören und zu reden sein

lieb   wie nett, nämlich: nichtssagend bis doof

link   verschlagen, heimtückisch. Linker Typ, linke Tour. Nehmen Linke nicht in den Mund. Soll'n sie sich etwa selber linken, ey?

locker   easy. Locker vom Hocker: aus der Hüfte. Locker drauf sein

Lockerungen haben   Szene-Chiffre für: Liebe machen, fikken. O-Ton taz-Grußanzeige: »Auf daß wir bald wieder unsere Lockerungen haben. Deine Helga.« Ach, Helga!

logo   klaro

Look   Aussehen, Outfit

LSD   »Lucy in the sky with diamonds«, siehe: Acid

Lulli   Softi, Schlaffi, Klemmchauvi

Mache jemanden, etwas in der Mache haben. Das ist alles Mache

Macher eines der inflationärsten Sub-Stantive, das nicht totzukriegen ist. Nach Liedermacher, Filmemacher, Büchermacher, Zeitungsmacher, Kabelfernsehmacher taucht plötzlich so was auf: Müdmacher. Unter uns: In jedem vorausgegangenen Macher steckte dieser Müdmacher längst drin

Macho Mannmann für das traditionell empfindende Frauchen. Siehe Stecher

Macker Typ negativ, insbesondere ficktiv. Der Chauvi, der sich um die Wahl zum nächsten »Pascha des Monats« reißt

mackerhaft s. o.

Mafia-Torte Luigi's Pizza

Maloche Job ohne Vibes

Maso Leid gleich Lust auf passiv. Gegenteil von siehe: Sado

-mäßig Keine Grippe grassiert im Sub wie diese Art der Spreche. Ein Hauptwort und hinten mäßig rangebabbt – fertig ist die unheilbare Infektion. Den Vogel schoß rekordmäßig die Wien-Punkerin Renate Ungar im »Club 2« des österreichischen TVs ab: »Wie ich beurteilt werden möchte? Nun, nicht figurmäßig, gesinnungsmäßig, modemäßig, sondern menschmäßig...« In diesem Zusammenhang bedeutet mittelmäßig: geldmäßig. Ha, ha

Message Botschaft, Philosophie – der Kern einer Platte, eines Films, Buchs, sonstwas. 'ne Message rüberkriegen. Witzig nur, wenn ein deutscher Filmmüdmacher, der in jede Einstellung mindestens eine Message reinpackt, nach Los Angeles kommt und von Amerikanern interviewt wird. Ist passiert, der Name ist mir entfallen. »Mein Film hat eine wichtige Message«, erklärte dieser Furore-Regisseur, der den Fehler beging, zu glauben, daß Szene-Englisch Englisch sei. Alles griente und staunte in L. A., dann entspann sich großes Rätselraten, wie der Regisseur das wohl gemeint haben könnte. Die Pointe: in den USA bedeutet message fast ausschließlich Werbespot, und eine Zeitlang dachten die Filmfreunde in L. A. echt, daß neuerdings in Deutschland Kinostreifen mit einem festen Werbeblock gedreht würden. Got the message?

Micky Maus Selbst die ist schon 50 – und außerdem eine Ratte (siehe nächstes Kapitel)

militant sind die Militanten, die Klirrmacher der Nation, die eins aber immer schaffen, nämlich auf Seite 1 zu kommen

etwas für sich **mitnehmen** konkret aus dem Supermarkt oder übertragen zum Beispiel aus der Spätvorstellung des Off-Kinos

Möge Keine Möge auf schwarze Gummibären? Der Stantivismus des Sub!

Mohrenkopf Bei einer Friedensdemo, auf der man/frau sich auch um die Dritte Welt sorgte, gab es zum leutseligen Abschluß feierlich ein paar Hundert Mohrenköpfe zu schlabbern. Irgendwas stimmt da nicht. Weg mit dem üblen Wort Mohr, weg mit dem üblen Wort Mohrenkopf. Wer findet einen neuen Namen für das süße Zeugs, das dir dann nicht mehr im Halse stecken bleiben muß?! (Siehe auch Neger)

Mords- Füllsel für alles, was der nackte Wahnsinn ist

mosern herummosern, maulen, kommt von Hans Moser, dem Marx Brother aus Wien

motzen den Motzer machen: meckern

müde Lauter so müde Typen. Eben nicht ausgeschlafen

Muffensausen Flatter

Mufti auch Obermufti: läßt den Big Mäc raushängen

murksen Szene-Lehne seit es das deutsche Qualitätshandwerk gibt: Mist bauen. Jemanden abmurksen: ausmachen

Müsli Ignorantenanhaue wie Körnerfresser

Nadel Fixe, Pumpe des Junkies. Er hängt an der Nadel, Fixe, Pumpe: ist völlig abhängig

naß Mach dich nicht gleich naß: cool down. Die Bergman macht mich naß: Ingrid törnt mich

Neger gibt es nicht, sind eine schlimmrassistische Erfindung und im Sponti-Dschungel tabu. Es gibt Menschen mit verschiedenen Augenfarben, Haarfarben, mit unterschiedlichem Teint, es gibt Afrikaner rund um den Globus, okay, es gibt Schwarze, aber keinen einzigen Neger. Aber da müssen erst noch viele Generationen aussterben, bis diese Vokabel auch endgültig ausgestorben ist. In einem der letzten »Playboy«-Ausgaben las ich dreimal diese sprachliche Erfindung, natürlich auf weiblich – »Negerinnen«. Drum, Spontis aller Spontifarben, boykottiert (sprachlich) den Negerkuß!

nein danke! Kann eine Ablehne höflicher sein? »Atomkraft? Nein danke!« mit der roten lachenden Sonne wurde in 42 Sprachen übersetzt und als Button mittlerweile an die 30 Millionen mal verkauft

nerven auf deinem Nervenkostüm herumtrampeln. Nerv mich nicht

Neuss Wolfgang. Vor seinem Kammbeck taz-, nunmehr stern-Kolumnist. Ist das was Böses? Das neue Kabarett Deutschlands ohne dritte Zähne. »Ich mache keine Witze mehr über Kohl«, sagt er. »Ich lache gleich über ihn.« Er hat ihn erfunden – den Charles de Kohl. In Berlin wollen sie Wolfgang (sprich: Wolf-Gang) zum »Volkseigentum« erklären. Legalize him!

no future Etikett für junge Menschen, aber nur dieses Etikett hatte keine Zukunft

Normalo Spießer, Anpasser

Null Der alte ewig Tag und Nacht geile Bock hat sich mit dem numerischen (Zahlen, Banknoten, Notendurchschnitten, Statistiken, Einschaltquoten, Volkszählungen, Hitplazierungen) Zeitalter gepaart, und herausgekommen ist – – – der Null Bock! Vielleicht die witzigste Sub-Wortschöpfung! Keinen Bock haben: keine Lust haben. Keine Böcke haben: echt keine Lust haben. Null Bock haben: Überhaupt totalst echt gar keine Lust haben. Siehe da – der Null Bock ist sogar richtig gesellschaftsfähig geworden. Das soll jedoch nicht darüber hinwegtäuschen, daß es dich und vieles mehr gibt, worauf man/frau mächtig (unheimlich) Bock und Böcke haben kann. Sooo schön ist dieses Leben, ganz besonders mit Null Kaptial in der Tasche...

O

etwas **öffentlich** machen   Gräßliches Amtsdeutsch? Nee: alternativ, bedeutet für etwas eine Öffentlichkeit herstellen, an den Pranger hängen

Öko   und kein Ende, und die innere und die äußere Umweltverschmutzung geht unverändert weiter voran. Schreib' ich mal besser: Ök. o.!

Ökopax   Gegenteil von Ohropax: die Natur- und Friedensbewegung, die auch dir die Lauscher weit aufreißen möchte, damit du den Wald wimmern und die Zeitzünderatombombe ticken hörst

ömmeln   rummachen ohne Zwang & Zwack

Otter   Otto ist da Otter: Otto kriegt das gut hin. Die nächste Otto-Show und -LP wird's beweisen

out   nicht: in

Outfit   optische Zurechtmache, damit ein geiles Feedback zurückknallt

P

Pac-Man Videospiel-Superstar (dicht gefolgt von Dinkey Kong, Star Raider)

Panik »Keine Panik« – Copyright liegt bei Udo Lindiberg

Pascha Chauvi at home

Pelle Subversive Metzger, Sponti-Schlachter und Szene-Fleischer pflegen auszurufen: »Das haut die Wurst aus der Pelle!« Hochdeutsch für: Ich glaube, du hast mir meinen Gummi runtergepowert, Baby!

permanent pausenlos (und zwar pausenlos benutzt)

Perspektive z. B. eine gemeinsame Perspektive haben. Es darf gestelzt werden

Pfanne Du hast wohl nicht alle in der Pfanne: spinnst du? Der(die) hat was auf der Pfanne: blickt total durch

pickelhart kommt nicht von Akne, sondern von Eispickel: Extrahärte aufweisend

Piepen Knete, Asche, (siehe dieses), Kohle. Zum Piepen: zum Lachen. Als Verb sub-volkstümlich für: in der Peep-Show zugegen sein und sich dabei einen runterholen

Pille-Palle hohl, leer, nichtssagend (eine Berliner Band heißt Pille-Palle und die Otterpotter)

Pinke Schon wieder Kohle, siehe: Asche

Pinte Nüscht wie rein!

Piste Kneipen-Szene. Auf die Piste gehen: um die Häuser gehen

Platte auf der Platte leben: unter freiem Himmel (das gibt's noch!) schlafen. Kommt aus der Pennersprache

jemanden **platt machen** Droh-Sound: Ich mach' dich gleich platt

poofen tut man/frau nicht immer (siehe zwei Vokabeln backwards) in der Poofe und erst recht nicht immer allein

Popper Jugendbewegung aus der Konfektionsabteilung: Schicki jr.

Pot Shit

Power, powern Wow-Wort für alles, was Äktschn rüberbringt, wo es fetzt. Nicht nur bei den Punkern geht Power ab. Paßt auf alles, was geil ist, antörnt und high macht. Ob einer Briefmarken sammelt oder Gewichtheber ist, beide können auf die Frage, warum sie das gern machen, antworten: »Wegen der Power!« Obligater Briefgruß: »Best feelings und reichlich power, dein Hans-Joachim...«

das **Pralle** Auch der Phallus mischt im Sub stark mit. Nicht das Pralle sein: nicht das Gelbe vom Ei

etwas **problematisieren** etwas zum Problem machen

Projekt Was den einen die AG, KG & Co ist, ist den anderen das Projekt

Prolli Kürzel aus der Lall-Crowd: Prolet(arier). Hey, da steckt 'n Arier drin! Hab' ich vorher nicht gewußt. Da schreibe ich was in Klammern, schon kommt's raus

Promi Seitdem sich Heinrich Böll und andere auf Demos fotografieren lassen, steht dieser Zweisilber für Prominente

Pseudo... eben nicht Realo

Psycho kursiert als Freak, Kiste, Trip und vieles mehr, was nach Sigmund ruft

Punk, Punker(in) Wenigstens mal eine Jugend, die gar nicht erst diskutiert, weil's eh nix zu diskutieren gibt, und die ihre sämtlichen Argumente als Kostüm vor sich herträgt. Aber auch da ist schon die Luft ein bißchen raus. Punk-Band Slime: »Für die meisten bedeutet Punk, sich die Birne vollknallen, irgendwo sitzen, ätzend aussehen, auf die Bürger abschreckend wirken und vielleicht noch 'ne leere Flasche gegen die Wand schmeißen. Das ist nicht Punkrock!! Punk ist'n Ding, was gegen die Gesellschaft geht, und nicht um irgendwelche willenlose Leute.« Jetzt kommt schon Dad mit der grünen Strähne, und die echten Punks sind längst abgelöst von den Fashion- und Touristenpunks, d. h. Weekend-Panks, die ins Pank-Weekend, möglichst nach Bärlin, fahren und sich ein paar ätzend schöne Stunden machen

Punkt total in mit der entsprechenden Vorsilbe wie Knackpunkt, Juckpunkt, Spritzpunkt (nur sexuell), Iiiiiiiiiehpunkt (Ekel, Ekel) und immer so weiter

Pusher Zeitschriftenwerber an der Haustür oder Dealer unter der S-Bahn-Brücke

Putz nicht nur im Frühjahr: Zoff, Ärger, Konflikt, Randale. Putzfrau: extrem militante Feministin

Q

quasseln quatschen ohne Inhalte

quatschen quasseln mit Inhalten

quervögeln die Vorsilbe ist die Abkürzung von kreuz und quer. Aber laut Helga Goetze ist uns der paradiesische Zustand des begnadeten Vögelns verwehrt, wir bringen es gerade mal noch zum querficken, querbumsen. Schluchz!

Quickie bedeutet unter keinen Umständen »Quick«-Reporter, sondern Schnellfick, Blitzbums. Mach dir eine schöne Hundertstel Sekunde, geh mit ihr aufs Kino-Klo (Das habe ich von Baby Ben, er läßt bestellen, daß so sogar Faßbinderfilme wieder Power kriegen)...

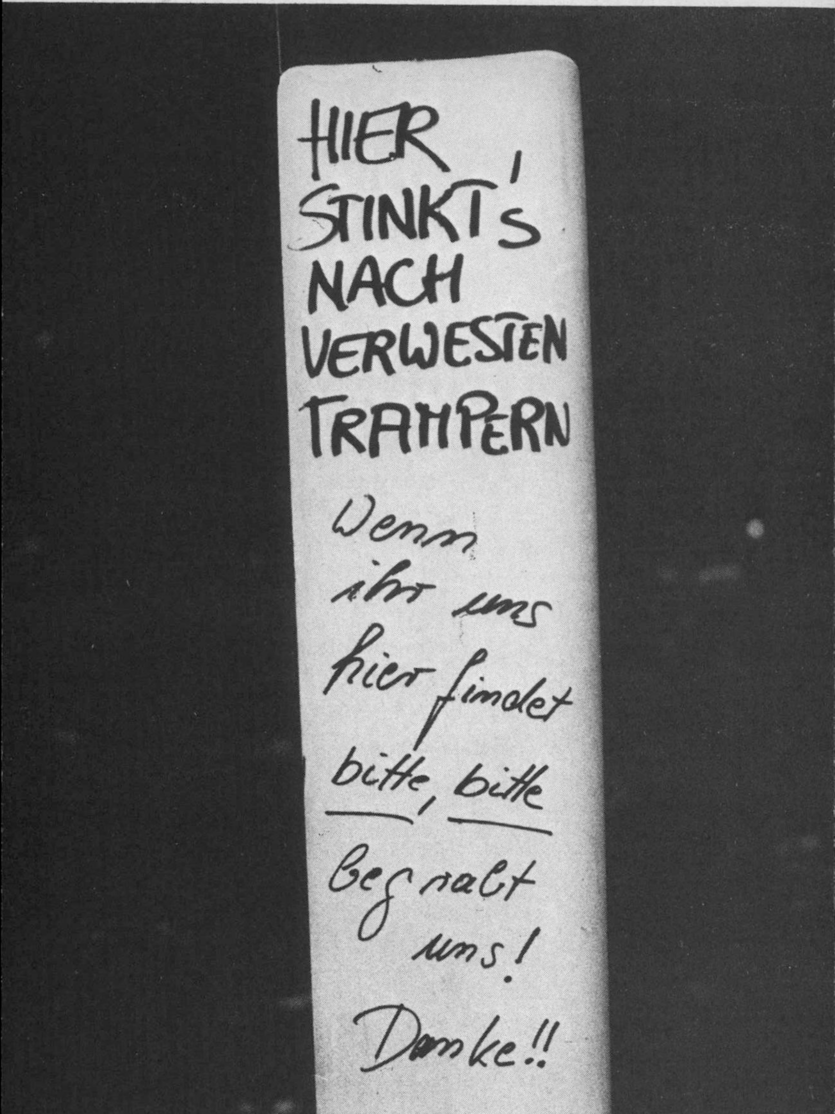
HIER STINKT'S NACH VERWESTEN TRAMPERN
Wenn ihr uns hier findet bitte, bitte begrabt uns!
Danke!!

R

raffen kapieren

Randale War gerade da: aufmüpfige Äktschn

ranklotzen gewaltig arbeiten, weil's Spaß macht oder sein muß

rausfallen z. B. aus dem sozialen Netz, also unberücksichtigt bleiben von irgendeiner Stütze

rauslassen etwas aus sich: eine Stimmung, eine Rolle, eine Verhaltensweise

rausziehen sich aus etwas (jedoch niemals koitiv): nicht mehr mitmachen

etwas **realisieren** verstehen

Realo Realpolitiker unter den Grünen und ALs, die lieber koalieren als nur rumsitzen und fundamentalomente diskutieren

sich **refertilisieren** die getätigte Sterilisation rückgängig machen. Hilferuf in der taz am 12. März: »Betr.: refertilisierung! Ich habe mich vor etwa 10 Jahren sterilisieren lassen. Wer hat Informationen über Möglichkeiten der Refertilisierung? Vielen Dank! Achim Erbslöh, Bahrenfelder Steindamm 67, 2000 Hamburg 50, Tel.: 040/85 79 18« Kopf hoch, Achim, wenn du bisher nicht genug Infos bekommen hast, vielleicht kommen sie jetzt! Wird schon wieder!

Reihe auf die Reihe kriegen: im Hirn durchblickmäßig einordnen

reindrücken jemandem eine: mit der Faust, mit der Handinnenfläche. Hör'n die Brutalos nie auf? Geht auch friedlicher – sich einen Big Mäc reindrücken: einen Big Mäc genießen

reinfahren gebräuchlich im Sinne des Kunstkonsums: ein Sound fährt echt rein oder der neueste Carpenter-Schocker »Christine«

reinhauen wie reinfahren und reindrücken

etwas **reinkriegen** schnallen. Etwas falsch reinkriegen: mißverstehen

reinpfeifen essen, trinken, Kunst oder Kitsch konsumieren

sich **reinschaffen** bei etwas oder jemandem ins Zeug legen

reinsemmeln jemandem eine: jemanden prügeln

reinsprechen bei jemandem: ihn (sie) kennenlernen. Kurze Denkpause. Siehst du mal, in was für riesigen Ritterrüstungen wir allesamt stecken, daß man/frau die Klappe aufreißen und in uns reinsprechen muß, damit 'ne Kennenlerne draus wird. Echohall, bitte!

reintun Sub-Babysprache: lesen, lernen, hören, sehen, fühlen

reinziehen alles & nichts. »Der Wolfgang Neuss zieht ganz tierisch rein«: a) der gefällt mir, b) er hascht wie der Teufel

relaxed auf dem Sofa vom Sperrmüll oder in der geistigen Hängematte

relaxen (bitte mit ä!) faul und flach liegen, z. B. mit diesem Taschenbuch hier in der Hand

Relevanz Unbedingt lebensnotwendig für anspruchsvolle Diskussionen und Erörterungen: Bedeutung. Relevant: bedeutungsvoll

riesig Senil-Sub für: geil

Robutler gibt's im Jahr 2000 in jeder WG: Robot-Diener für den Abwasch

Rolle von der Rolle sein: von den Socken sein. Der (die) ist völlig von der Rolle: nicht ganz da. Etwas auf der Rolle haben: kluge Ratschläge geben können. Rollenspiel. Rollenverhalten. Ohne diese beiden letzteren Rolle-Kombinationen kein Emanzipationsknatsch bis in die frühen Morgenstunden...

Rotationsprinzip gilt in den Kollektiven, bei den Grünen, damit jede(r) rankommt und der Ego-Trip gebremst wird. Sub-Mundartlich auch für: Partner(innen)tausch der flotten Art

etwas **rüberbringen** vermitteln

rüberkommen der berüchtigte Funken. Da kommt nix rüber: resonanzlos

rumflippen siehe: herumflippen, flippen ›

rumhängen Wo? In der Ssssiehn! Wo sonst?

rumknapsen mit der Knete nicht hinkommen, aber doch überleben. »Total rumknapsen« – das Los nicht weniger Kollektive. Aber das hat eher was Positives. Zitat: »Gewinn machen an sich hat oft schon einen anrüchigen Beigeschmack.« Weiter: »Das alternative Bewußtsein wird aber dann stark strapaziert, wenn die Preise wesentlich höher sind und damit die Form von Spenden annehmen (damit ist nicht gemeint, daß für bessere Gebrauchswerte auch mehr gezahlt werden würde, z. B. in Bio-Läden)...« Merke: der Absahner und Abkocher, der sich gesund stößt, stößt sich in Wirklichkeit krank!

rumschwirren rumhängen im Zeitraffer

runterbringen jemanden von etwas, z. B. von der Droge. Siehe Junkie

runterholen sich (zumeist) einen: onanieren

jemanden **runterziehen** die guten Vibes und Feelings kaputtmachen

Sache »Was Sache ist.« Kohl-Deutsch, auch im Sub gepflegt. Was ist Tango: was ist los?

Sado Leid gleich Lust auf aktiv. Siehe Maso, und der Kreis schließt sich für eine Nacht

Sau Die Sau rauslassen. Saugeil. Hat aber niente mit dem Schwein, sondern mit der bayerischen Trumpfkarte zu tun. Grunz!

sauer Top-Wort für alle Lebenslagen mit der absoluten Häufigkeitsfrequenz: wütend, den Zorn haben auf . . . .
. . . . (Platz für persönliche saure Notizen)

Säzzer(in) abgekürzt: d. S., d. S-n. Seit Gutenbergs Erfindung des Buchdrucks mit gegossenen beweglichen Lettern die mit Sicherheit schönste Neuerung im geprinteten Medium, hat in der alter- und jungnativen »Tageszeitung« (taz) in der Wattstraße Berlins das Licht der Öffentlichkeit erblickt. Der/die Säzzer(in) ist Setzer(in) auf ätzend, powert einfach seinen/ihren Senfkommentar in den fließenden Text, hübsch in eckigen Klammern, und erinnert an alte herrliche Kinozeiten, wo Eddie-Constantine-Fans zu rufen pflegten: »Stellt doch mal den Ton leiser, man versteht hier ja gar keine Zwischenrufe!« Ein paar Blüten im Original-

Ton: »Fazit: Die Kinder lernen täglich dazu, während der Bundeskanzler stur auf der Stelle tappt. [Der erste wirklich schlaue Satz in diesem Artikel. Immerhin. d. säzzerin]« Oder das in einer Filmkritik: »...Das Rätsel, das beide Frauen lösen wollen und für das sie genau 87 Minuten Zeit haben [»Der Kommissar« löst jeden Fall in einer Stunde, sonst kommt er in die »heute«-Nachrichten rein, d. S.], verschlingt sich in verschiedene Orte und Zeiten, ohne den Faden zu verlieren.« In einem Mord-Bericht: »Eine Leiche, aus der nicht vorher die Innereien entfernt wurden, tritt unter diesen Umständen normal innerhalb von 2–3 Tagen in den Zustand einer stinkenden Verwesung ein. [Und so was Sonntags morgens 8 Uhr setzen...d. S.]« Weiter im selben Horrorartikel: »Die Zersägung der Leiche wurde derart exakt ausgeführt, ohne daß dabei die Innereien austraten [grrrpzs...d. S.]...« Well, das ist fast eine neue Kunstform: Rufe in der Bleiwüste

schaffen   gemeint ist die Konsequenz des Schaffens, nämlich sich erschöpfen

scharf   wie geil

Schatten   einen Schatten haben: nicht dicht sein

Scheiß(e)   Ohne dem und der geht schon mal gar nichts. Absolutes Blüte-Sub-Wort, auf das niemand verzichten (drauf scheißen) kann

Schicki   Rich Choice Member of the Schickeria

schieben   mit jemandem: gehen, ein Verhältnis haben

Schiene   ähnlich der Kiste. »Früher bin ich immer die Cowboyschiene gefahren.« (Ulla Meinecke, 30, Sängerin)

Etwas über die legale Schiene durchsetzen: z. B. per Volks-begehren

schießen den hard stuff spritzen. Schuß. Goldener Schuß

Schlaffi Lulli, Softi

schlauchen anstrengen. Echt ein Schlauch: kaum zu er-tragen. Wer auf dem Schlauch steht, ist down. Nicht nur Break schlaucht echt, nichne? Jemanden schlauchen: um Geld anhauen

Schleife Szene-Kneip-Kur, figürlich von: eine Schleife ziehen. Kleine oder große Schleife?

Schleimi Speichellecker, Schleimscheißer

Schmeck »Hast du'n Schmeck auf Fellatio oder auf Fel-lini?«

schmieren jemandem etwas: vormachen, täuschen

Schnalle Mädchen, Frau, Freundin negativ

schnallen kapieren

Schnecke z. B. angraben: rangehen

Schnee K.o.kain mit Schnupf-Gefahr

Schnellmacher Speed

Schnitzelranch bürgerliches Restaurant

Schotter Siehe: Asche

schrill flashy. Schriller Typ

Sehne Lust, Verlangen, Sehnsucht

Selbsterfahrung dafür gibt's massenhaft Selbsterfahrungs-gruppen, am gemütlichsten in der Toscana, nicht billig, aber dort kann man/frau sich so richtig alternativ therapeutisch er(und sie)fahren. Was die Kaffeefahrt für Omi, ist dies für Spontis, die nicht gut drauf sind

Sense Aus. Finito. Finished

sexistisch penetrationshörig

Shit Hasch und Sweet Mary im Tabak, Tee oder Plätzchen und zugleich: Scheiße

s(c)hocking wow!

Sittich Sittlichkeitsverbrecher

Skinheads sind die Sparring-Partner der Punks, tragen Glatze, deutschnationale Gesinnung und machen jedes große Fußballspiel zum faustischen Ereignis

Snief, Sniff das teuflische Schnüffeln (von Koks, Alleskleber, Plastikleim, Fleckenmittel, Benzol usw.)

Socken scene-deutscher Adelstitel: Von den Socken. Pfeif durch die Socken: verpiß dich!

Softi Chauvi in Maske 13, Klemmchauvi, Sanftmann mit Knopf im Ohr, der sich durchs Leben und durch die Betten streichelt »Der Softi ist auch keine Lösung« (Klospruch)

Sound hat den Klang stillgelegt

Sozia Reisebegleiterin. »Suche zierliche Sozia für den Sommerurlaub auf Kreta...«

Space in einen neuen Space eintreten: in eine neue Lebensphase. In der WG ist noch Space (ein Zimmer) frei.

Spaßguerilla Teufel-ei des Anstoßes. Der subversive Eulenspiegel lacht gegen das Establishment an, setzt weiße Mäuse im Berlin-Senioren-Café Kranzler aus und wirft z. B. nicht Scheiben ein. Sondern: klebt mit Superkleber den Stein an die Scheibe, daneben der Spruch »Klirr!«, und es hat denselben Effekt, denn der Stein geht nicht mehr ab, die Scheibe muß erneuert werden...

Speed Aufputschmittel. »Speed kills«

spezifisch ist von mäßig überrundet worden. Geschlechtsspezifisch: geschlechtsmäßig

Spitze hat sich Hänschen »Dalli Dalli« Rosenthal untern Nagel gerissen

Sponti spontan ist sponTITAN! Chaot mit schnellem Herzen, der lustbetonte Typ. Erfinder der Spontisprüche, der Spontisprache, hat dieses Buch möglich gemacht...

Sprüche Es ist immer ein Gewinn, in der Szene aufs Scheißhaus zu gehen. Jedes WC eine Galerie der Geistesblitze. »Es ist schön, mit Farbe zu scheißen«, so prangt es im Münchner »Studio-Café«. Right. Deutschlands echte Volkskunst findet im Klosett statt, strikt in Männer- und Frauen-Separées geteilt. Der/die unbekannte Dichter(in) ist zu neuem Leben erwacht – im Pissoir, verzichtet auf den

Dank und Beifall der Welt, bleibt anonym. Kommst du vom Örtchen, hast du immer was mitzubringen und zum Besten zu geben. An der Zahl der guten Klo-Sprüche erkennst du wie »in« oder weniger »in« diese oder jene Kneipe oder das Café ist. Vergiß den Filzschreiber nicht! Mitmachen, nicht einfach konsumieren, heißt die Nullnull-Devise!

sprühen gehen   beweist: es geht auch außerhalb der Sub-Latrinen. (Siehe auch Graffiti.) Eine heftigst um sich greifende Freizeitgestaltung, die sich für nächtliche schöne Stunden anbietet. Vorbild der neuen Kreativen und Anonymen ist Zorro aus dem Sprayer-Kultfilm »Wild Style«. Am häufigsten benutzt: »ozonfreundlicher« Kunstharzlack (Autolack ist zu teuer), der an triste Wände, Fassaden, Brückenpfeiler, Wartehäuschen gesprüht wird. Und kostenlos darf die verehrte Öffentlichkeit am Kunstwerk anteilnehmen. Daß die Ausstellung nicht in Langeweile ausartet, dafür sorgen die Säuberungskommandos der Ordnungshüter (die sogenannten Wandschrubber), die die Exhibition normalerweise nach vierzehn Tagen beenden und übertünchen. Dieser behördlichen Emsigkeit unterliegt die kunstbeflissene Überlegung, möglichst rasch die Wand für neue Sprüh-Werke freizumachen. Der absolute Rekord wird aus München vermeldet: Dort konnte der Sprayer »Kamhsth« eine Wand (Nähe Tierpark Hellabrunn) binnen zwölf Monaten achtmal künstlerisch gestalten. Die Fantasie triumphiert über jeden Beton. Die Picassos von heute hängen draußen, nicht in irgendeiner Edelvilla drinnen...

stark   toll, doll, dollo, meist in Verbindung mit echt unheimlich

Stecher   Macker, Chauvi, der sein Selbstvertrauen, Selbstwertgefühl ausschließlich auf seinen Schwanz reduziert und von daher schöpft

stecken aufgeben, hinschmeißen. Jemandem etwas stekken: gezielt informieren

stehen auf etwas: mögen, abfahren. Und auf was du?

stinken mißfallen

Stoff wertfreier als Shit, das ja den ganzen Scheiß in sich trägt

stoned unter Drogen stehend, sitzend, liegend

in etwas **strahlen** Das radioaktive Zeitalter läßt poetisch grüßen. »Du strahlst ja wirklich in einsamer Arroganz!« »Zitty«-Zitat

Strahlenkacker weg vom Acker! Bauern-Demo-Parole

straight offenheraus. Straighter Typ: ein Extro. Whisky straight: ohne Wasser, Soda, sonstwas

Street-Action Punkers und Skinheads machen sich einen hübschen Putztag

Street-Fighter im Pingpong mit der Bullizei

stressig anstrengend. Ist mir zu stressig: mit mir nicht

Stütze Arbeitslosen-, Sozialhilfe. Auf Stütze leben: große, deutsche Volksbewegung aller Altersklassen

Sub »Emma«-Werbezitat: »Im April-Heft geht Franziska Becker dem Sub an die Wäsche...« Sub steht für das Milljöh und die Menschen in der Subkultur, Szene, Ssssiehn, assoziiert zu Recht Suppengrün und Sumpfblüh'n.

subito Sub-Italienisch: ein bißchen plötzlich

super ist Wahnsinn in allen geilen Spielarten

Supermutter nicht Inge Meysel

Sympi Sympathisant

Suizid Selbstmord, Freitod, ohne phrasiges Wortgedonner

Tabletten Beruhigungsmittel, Aufputscher und das im ständigen fliegenden Wechsel oder sogar gleichzeitig. Nö, Mensch!

Tango nach der synthetischen Aerobic kommt wieder die Lust auf die Beine. Hinzu: Bauchtanzen. Die weiblichen Zonen schlagen ins Erogene um. Was ist Tango? Was 'n los? Mach doch keinen Tango: reg dich ab

Taucherbrille blaues Auge, Veilchen. Sind's die Augen, schwimm zu Hans Hass

tauschön schöner als schön

taz die »tageszeitung« aus Rest-Börlin für den Rest der Welt mit der kleinen Auflage und der größten Hinreiche und Auswirke. Oft totgesagt, nie erreicht. Ein taz-Abo ist ein Muß im Sub, für Knackis kostenlos, und wer sie nicht allmorgendlich durch seinen Schlitz kriegt, der marschiert eben alltäglich in seine Stamm-Treffe, die den journalistischen Spontifex Maximus abonniert hat. Eine Tasse Kaffee abzüglich 1,20 Märker, was die taz am Kiosk kostet – ist doch 'n Deal! Unbedingt lesenswert schon allein wegen der Säzzer(innen)-Kommentare. Siehe Säzzer(in)

X **Teds** Baseballjacke, Jeans, auf Kreppsohlen, tolle Tolle und intus 'ne südstaatliche Herrenmenschen-Mentalität. Auch diese Youngsters gehören dazu

Tee Einen im Tee haben: spinnen, besoffen sein

X **Teenie-Bopper** hieß früher mal – nich, Opi? – Backfisch, tja, da waren wir noch nicht kolonisiert

Teller Wer nichts mehr vom Teller zieht, ist vom Fenster weg und völlig tote Hose

Terror Alt-Frankenstein-Sub: Zank. Terror machen. Das ist der totale Terror. Der Terror bricht los. »High sein, frei sein, Terror muß dabei sein.« Mach doch keinen Terror, Terry!!

Terz machen: Terror machen

etwas **ticken** verstehen. Nicht richtig ticken: Vollmeise. Tick: Spleen. »Seid ihr völlig durchgetickt?«

tierisch Mords-, affen-, kurz: anderes Wort für sehr

X **Titanic** das endgültige Satirema(r)gazin. Sitze ich doch im »Savigny-Café« am Berliner Savignyplatz und lese in Nr. 4 vom April: »›Locker vom Hocker, ey, Alter, Mensch, wa?‹ – Endgültiges Lexikon der Ponker- und Puppersprache, auf den endgültigen Stand gebracht von Luis Trenker & Billy Mo. Nach ›Laßt uns mal ein Faß ausbuddeln‹ nun die allerletzten Sprüche von ›Das ist 'ne Wucht in Tüten!‹ (›Das finde ich gut!‹) bis ›Der Typ mit der Gießkanne bläst einen steilen Zahn!‹ (›Der gutaussehende junge Mann mit dem Saxophon bläst eine attraktive junge Frau!‹). Mit flotten Illustrationen von Mordillo...« Der Schreck sitzt mir noch im-

mer in den Gliedern, denn ich weiß, Luis Trenker und Billy X
Mo, die passen mit ihrem »Locker vom Hocker, ey, Alter,
Mensch, wa?« perfekt in den medialen Kulturbetrieb, die
gehen noch freiwillig in jede Fernseh-Show, um ihr Ding zu
powern, die sind noch in der Lage, öffentlich-rechtlich in
Großaufnahme zu lächeln...

törnen auch turnen (nix Vater Jahn): anmachen positiv

total Ey, jetzt kommst du, wo du schon x-mal gedruckt
worden bist: ist ein Totalfüllsel

touch Kolonial-Sub-Vokabel, von Extremdeutschen im
Halbschatten »tatsch« geschrieben: ein Hauch von. Tatsch
mich nicht an: Finger weg, Herr Referendar! Sozialtatsch.
Der Lubitsch touch. Paßt auf und an alles

Touri Einer dieser mitleiderregenden Baby-Zweisilber,
die nach Mitternacht besonders schön zu lallen sind: Tourist

Tratscheier hat überhaupt nüscht mit Szene-, Sub- und
Spontideutsch zu tun. Ist aber in meiner Kartei gelandet,
und ich schmeiß' nichts weg. Auf 'ne Erklärung wird verzichtet

Trebe auf Trebe: ohne festen Wohnsitz. Trebegänger.
Werden auch nicht weniger

trendy Mädchenname? Im Trend liegend

Trip Ich hab' Null Bock, dieses Drogenzeug weiter durch-
zuziehen. Siehe Acid, Junkie, und du weißt alles

trocken clean, sauber. Siehe Junkie

Trollo   Dummi

Trouble   haben, bekommen, machen (d. h. jung sein)

Tschö   Tschau, nur eine Idee fröhlicher. Szene-Gruß-Zitat: »Tschö und 'ne liebe, powervolle Umärmelung von Gesi!«

türken   (das Verb) gibt's nicht in der Szene, selbst in der kühnen Behauptung nicht »BILD türkt«. Türken sind Menschen wie du und ich und kein Synonym für den Zeitungsalltag. Siehe getürkt

Turkey   muß mit den Entzugserscheinungen kämpfen wie Wahnvorstellungen, Ängsten, Organstörungen, körperlichen Schmerzen. Wenn uns eine(r) im Leben braucht, dann er/sie. Cold Turkey: Entzug ohne Hilfe eines/einer anderen

Tüte   eine Tüte rauchen: einen durchziehen. Wolfgang Neuss, bis du noch da?

Tussi   ganz übles Stecher-Wort für Gestochene und zu Stechende, kommt von Tusnelda und hätte bei ihr bleiben sollen

Typ   Was 'n das?

Überfallkommando Polizeiabteilung, die sich auf Über-
fälle spezialisiert hat

übermackert ist z. B. das »Café Größenwahn« vormittags
und mittags – in der Lothringer Straße in Münchens Haid-
hausen –, weil dann auf zwanzig Typen gerade mal eine Fe-
mina kommt. Getickt?

Umlaufbahn in dieselbe schicken: rausschmeißen

Uncool schon fast Kohl, also nicht: cool

und so irgendwie echt tierisch geil und so. Die Ehrlichkeit
der stetigen sprachlichen Infragestellung der gegebenen
Aussage beginnt (bzw. endet) mit dem eingeständigen »und
so«. Wenn's sich machen läßt, bitte, an jeden Satz ranhän-
gen. Noch »in«ner geht nicht...

ungeil nicht: geil

unheimlich sehr. Wieder so ein sprachliches volles Ge-
ständnis, daß alles, was sich durch »sehr« gigantisiert, dir
nicht heimelig, sondern unheimlich (vielleicht auch nur ins
Unterbewußtsein) reinfährt, z. B. die deutschen Fernseh-
programme von Eduard Zimmermann bis zum »blauen
Bock« sind unheimlich gut...

Unsympath(in) die ungeile Person schlechthin

User ist, wer den Computer bedient: Benutzer, Bediener. Gilt längst auch schon für den zwischenmenschlichen Intimbereich. Er ist Moni's User. Außerdem: Junkie. Und da gibt es auch Ferien- und Weekend-User. Und Ex-User

User-Clubs Computer-Süchtige unter sich mit der ewigen Frage »Und wen hacken wir heute?«

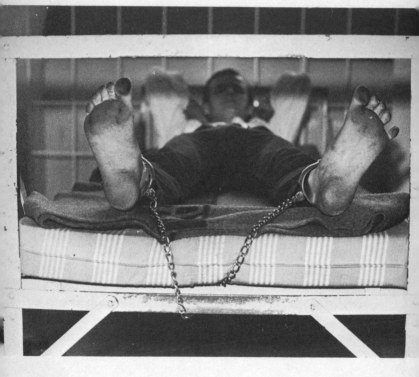

etwas **verdrängen**   aus der Schmerzzone schieben

sich **verhalten**   Wenn man und frau sich in die Haare kriegen, fällt dieses Verb. »Ich weiß nicht, wie ich mich zu deiner Eifersucht verhalten soll.« Super-Stelze

verladen   jemanden: reinlegen. Der große Verladeplatz: Bonn am Raus und Rhein

verölen   jemanden: sozusagen verkackeiernd die letzte Ölung verpassen. Gehört zum Lebenszirkus dazu, und jede(r) kommt ran. Auch Petra Kelly. Also das muß ich zitieren (aus der taz, Leserbriefe vom 22. Februar im Orwelljahr): Überschrift »Petra Pontifex«. Los geht's: »Tief bewegt von inneren Beifallsstürmen durchtost, vernahmen wir die Kunde von den Bestrebungen gewisser einflußreicher und äußerst ernst zu nehmender Zirkel zwecks Heiligsprechung Ihrer Majestät Fürstin Gracia Patrizia von Monaco alias Grace Kelly. Nichts läge uns ferner als die von ihr vollbrachten Wunder, die zur Heiligsprechung nun mal notwendig sind, anzuzweifeln oder gar in den Schmutz zu ziehen, doch läßt uns die diesbezügliche Nichtberücksichtigung ihrer Namensvetterin PETRA nicht mehr rasten und ruhn. Allein die Tatsache, daß die grüne Jeanne d'Arc noch immer einer millionenstarken Friedensbewegung voranschwebt, müßte den »advocatus diaboli«, für dessen Rolle uns der verdienstvolle MdB Hodentöter prädestiniert erscheint, vor Ehrfurcht erstarren lassen. Oder wie war es möglich, daß die Friedensmissionarin, nachdem sie beim tête à tête mit ›Erich, dem Dämon vom Werbellinsee‹ trotzig ein brüskierendes T-Shirt trug, nicht längst ihre Brennesselsuppe in Sibirien schlürft? Sämtliche Wundertaten dieser von Sendungsbewußtsein durchdrungenen Frau aufzuzählen, ist müßig und dürfte den Umfang dieser Postille sprengen. Eines aber müßte dem geneigten Leser nun unmittelbar ins Bewußtsein gerückt sein: Der einzige Platz, der den Glanztaten unserer ›Sonnenblume des freien Westens‹ den angemessenen Rahmen verschafft, ist der Balkon des Petersdoms zu Rom. Zum Zweck der Verwirklichung dieses hehren Ziels haben sich honorige Männer und Frauen aus unserer Mitte im Komitee ›PETRA PONTIFEX‹ zusammengefunden. Helft uns, daß die gerechte Sache nicht am schnöden Mammon scheitert! Spenden an ›PETRA PONTIFEX‹ c/o Christof Geisel, Volksbank Ellwangen Nr. 204 130 000. Der Friede sei mit Euch, Martin und Christof.« Zitat Ende. Übrigens, das Spendenkonto ist unverändert geöffnet

verschärft besonders stark, z. B. arbeiten, aber höchstens im Kollektiv

versypht kaputt. »Wir haben in Berlin öfters bei Besetzern in der Maaßenstraße gepennt. Total versypht. Wenn du da ein paar Jahre gewohnt hast, hast du keinen Bock mehr.« (Punk-Band Slime)

verticken jemandem etwas: verkaufen, erklären

Vibrations Herzflimmern, Schwingung, Gefühl, Feeling: gute, schlechte, die rüber oder nicht rüber kommt. Kurzform, auch meist in der Mehrzahl: vibes. Positive vibrations: die Rasta-, Reggae-Musikologie

vögeln ist bereits tiefstschürfend erörtert. Wenn es mal wieder möglich sein sollte, daß die Menschen vögeln, ist das Paradies auf Erden pörfökt! Siehe: bumsen und siehe: ficken for further details!

voll ganz und gar total

sich **volldröhnen** Hicks! Lalle-lalle

Vollpower bis zum Klirr-Punkt

vollsaufen meist: den Arsch

Waffel Kopf. Keks. Du hast wohl einen an der Waffel!

Wahnsinn die Welt außerhalb der Nervenheilanstalten

Wald Ist er noch da? »Ich glaub', ich steh' im Wald« bedeutet heute: ich bin echt sauer

Wanne Abschleppwagen der Polizei zum Landeskriminalamt von Eickel

werfen sich einen: auf den Trip gehen

Wessi Lall-Szenisch: Westdeutscher. Wessiland: BRD

WG Wohngemeinschaft. Jwg: Wohngemeinschaft ganz weit draußen. Nicht zu verwechseln mit WN: Wolfgang Neuss

wichsen sich einen, hin-, ab-: sehr einseitige, meist einhändige Tätigkeit der Erlustigung. Wichser, auch: Wixer, ist ein Oldie aus der Spießbürgerzunft, der sich mit verbaler Selbstbefriedigung bescheiden muß. Kann auch einfach Macker, Hohler, Stecher bedeuten, wenn es über feministische Lippen kommt. Jemanden anwichsen: anmachen. »Wix mich nicht an, wix dich lieber selbst!«

Wutzer(in) eingsssiehnt aus dem Englischen, von Woods wie Wälder: die Instandbesetzer der nahen Zukunft. Wenn der treudeutsche Wald nicht mehr ist, wenn keine kaufmännischen Interessen mehr an ihm hängen – wenn die Steppe lebt, zieht die Jugend in die tote radikahle Wildnis und baut sich ihre Bretterdörfer (hin und wieder von Polizei-Hubschraubern überflogen). Erst dann wird echtes alternatives Leben in breitester Ebene möglich, und wer will dann die Wutzer und Wutzerinnen im toten Niemandsland schon stören? Die Hausbesetzer durften nicht sein, sie störten die freie Marktwirtschaft der Sahnierer. Aber wer wird Deutschlands grüne tote Hose sahnieren wollen, wenn dort nur noch Brennesseln, Brombeeren, Holunder, Marihuana und Löwenzahn wachsen? Es ist längst Zeit, zu lernen, wie man/frau sich selber einen Brunnen baut. Es wird sie wieder geben, die Gaukler, die von Wutzerdorf zu Wutzerdorf ziehen, die fliegenden Händler, die Quacksalber. Keine Sorge, Freund(in), das Mittelalter in Technicolor rollt auf uns zu. Das autonome Hordenleben sprießt auf uns zu – mit jedem Baum, der stirbt. Jeder gekillte Baum gibt den Gesetzlosen Raum. Anarchie ist machbar, Herr Nachbar. Demnächst in diesem Theater!

Yeah begeisterter Zuruf, der sich auf die Wutzer(innen) bezieht

Youngster Jugendlicher, Junger, Noch-nicht-Zombie, wertfrei

Z

Zampano Cliquen-Big Mäc

Zero »Hinter jeder Zero steckt ein Nero!« Von der Null zu Eins-eins-zwo

Zeugs Dingens. Was für ein Zeugs: Unsinn

Ziege Die Ziege loslassen: Heute lassen wir die Kuh fliegen

Zigeuner gibt's nicht in der Sub-Sensibilität: Sinti, Roma

Zivi Polizeispitzel, V-Mann, Under-Cover-Agent, wirft gern den ersten Pflasterstein

Zoff die zweite Hälfte dieses Buch-Titels: Streit, Ärger, Putz, Bambule. Zoff mit: Eltern, Schule, Staat, Polizei, Kumpels, Job, Uwe, Angelika und so. Zoff machen hilft wenig. Immer gibt es Zoff, immer hat man/frau Zoff. Auch du – ein Zoffi?

Zombie Szene-Neudeutsch für Klein- und Groß- und Größtbürger: der(die) Untote. Logisch, wenn jemand noch leben will in dieser Betonanie, dann sind es die Jungen und die Jüngsten. Wie singt es Nina Hagen? – »Und ich sage euch die Wahrheit / Endlich heute voller Klarheit / Diese Generation / Ahnt die Wahrheit schon...« Der Ordnungs- und Sauberkeits-Sinn hat die Innen- und die Außenwelt kaputtgemacht. An jedem waschpulversauberen, adretten Nyltest-Leichenhemd der Hypermillionen Zombies stirbt ein Stückchen Natur in und um uns...

zu sein   nicht mehr ansprechbar aus Suff, Droge oder Frust

zündeln   abfackeln, flambieren

jemanden **zusammenfalten**   jemandem die Meinung gehörig sagen. Interessant, daß dieses Verb ausgerechnet die letzte Vokabel in diesem A bis Zett ist. Drum merke, wenn du bei diesem Wort an (zusammen)gefaltete Hände denkst: Gott, oder wie du ihn auch immer nennen willst, spricht mit. Auch und vielleicht erst recht im tiefsten, schönsten Sub!!!

3

»Micki Maus war eine Ratte« oder: Wo, bitte, geht's hier zur Sssssssiehn?

»Du mußt das alles in dir vibrieren lassen,
hörst du? Jargon ist bong...«

BABY BEN

Sub-Topf ist Drucktopf. Da verfliegen keine Vitamine oder
Nährstoffe. Und im Dampf implodierst du nicht. Die kleinen Explosionen sind es, die dich atmen lassen.

Einen Lorbeerkranz dem unbekannten Sponti, der irgendwann etwas geil fand, auch wenn er – oder sie? – nicht
ahnen konnte, was ihm entfuhr und im Nu jedes Super, jedes Dufte überrollte. Es war gerade die Nina-Hagen-Zeit,
und als sie dann im Fernsehen dies geil oder das überhaupt
nicht geil fand, machte sich das einsilbige Attribut der 80er
Jahre selbständig.

Speziell die Mädchen, ja, erst recht die kleinsten, fahren
bis heute auf geil ab, quer durch alle Gehaltsstreifeneltern-
häuser, und sagt morgen der sonore Villenbesitzer zu seinem Teen-Bopper: »Ich habe dich für den Chrysanthemen-
ball angemeldet!«, so wird sie jubilieren: »Oh, geil, Dad!«

Ein schwer zu verkraftendes Wort, für die Älteren, die
sich große Mühe geben, es zu überhören. Sie wissen genau,
was es bedeutet, und alle Generationen vor ihnen haben es
genauso schamig gedacht, hin und wieder gepreßt im ver-
dunkelten Schlafzimmer rausgestoßen, meist der Gatte, selten die Gattin, und jetzt kommen die Youngsters und die
Jüngsten und brüllen und juchzen es lauthals raus, aber
nicht aus dem zwiemoralischen, heuchlerischen Ejakula-
tionszwick, sondern ganz harmlos. Alles, was freut, ist geil!

134

Der Untergang des Fernsehabend-Landes.

Vertierte Sitten?

Einfach nur ein Laut?

Ich finde, daß in dieser einen Silbe eine ganze Rebellion lauert. Unsere gesamte Umwelt ist geil und fällt mit ihrer hemmungslosen Geilheit über uns her. Die Woll(und Haben)lüste, mit der uns die Konsumkonzerne anwichsen, die pure, nackte Vergewaltigeraggression, die uns umschlingt — und wenn's allein die Laster auf den Schnellstraßen sind —, Hochhäuser sind geil, Pershings sind geil. Bleiben wir lieber bei den kleinen Beispielen. Wenn heutzutage völlig normale Menschen für eine Regalwand an die zwanzigtausend Mark hinblättern und bis in alle Ewigkeit Raten zahlen, dann sind sie Opfer der allgemeinen Geilheit, die so unerkannt in unsere Glieder gefahren ist, daß wir sie gar nicht wahrhaben, besser: gar nicht wahrhaben wollen.

Unsere verplante Außenwelt ist geil darauf, daß wir hübsch wehrlos und willenlos uns ausliefern.

Die Titten am Kiosk sind wenigstens noch menschlich.

Allein ein Berufszweig ist schon immer mit dem Wörtchen geil völlig easy fertig geworden — der Gärtner. Ein geiler Trieb ist für ihn ein unnützer Trieb, den er abschneidet. Aber er tut das nur, um die Ernte gewinnbringender zu machen. Sein Motiv fügt sich somit in die üblichen Motive unserer Geiliberts ein. Doch die Tatsache des lässigen Schnitts hat was.

Schneide dir die Geilheit, die dir andere eingepflanzt haben und stündlich neu einpflanzen, raus. Lehne dich zurück, pfeife auf alles, was Geld kostet, steig aus der allgemeinen Geilerei aus, sei sinnlich, musisch, beseelt — frei!

Kein Opfer mehr!

Du, nur du!

Das alles steckt, untergetaucht wie ein freibeuterisches U-Boot, in der einen Silbe drin, die dir und mir pausenlos über die Zunge rollt. Es ist ein guter Anfang, durch die Fußgängerzonen unserer Entmündigung zu laufen und alles, was uns in den Griff kriegen will, »geil« zu nennen. Nach dem millionsten »geil« machte es vielleicht »klick«!

Sub-Deutsch ist explosiv-Deutsch.

Szene-Vokabeln sind Guerilla-U-Boote der Erweckung, die sich unter unsere roten und weißen Blutkörper mischen.

Mal was ganz Persönliches. Wir alle machen meistens wenig angenehme Erfahrungen mit unserer Sprache, denn Spracherziehung ist wie Sexualerziehung. »Pfui«, sagt der Lehrer in der Schule, und er stutzt dich zurecht, verklemmt, verkorkst, ent»mündigt« dich, damit du ja mit deiner Sprache signalisierst, wie brav du dich einordnest, unterordnest, anpaßt.

Mein Deutschlehrer hieß Meyer, genannt Bimbo. In einem Aufsatz schrieb ich »der Fabrikschornstein atmet schwarzen Qualm aus«. Er belehrte mich, daß ein Schornstein nicht atme, schließlich könne er ja nicht einatmen. Ich ließ mich belügen. Aber mein Satz verfolgte mich mein Leben lang, und erst vor kurzem, als ich einen Kanonenofen erwarb und den direkten Umgang mit dem Feuer erlernte, wurden mir jäh die Augen geöffnet: und wie ein Schornstein atmet!

Dann wurde ich Volontär bei einer Zeitung, und der Lokalchef Mücke gab mir eine erneute Lektion, die mir nicht mehr aus dem Sinn geht. Ich schrieb über ein vermißtes Mädchen und leistete mir die Feststellung »Die Suche war umsonst«. Darauf Mücke: »Meinen Sie wirklich, die Suche hat nichts gekostet?« Und er redigierte »umsonst« in »vergeblich« um.

Die gehobene Sprache erniedrigt uns. Sie vernebelt unsere Sinne, damit wir die Hand nicht vor unseren Augen sehen. Und fängst du irgendwann damit an, dir eine Zwangsjacke nach der anderen anzuziehen, dann wirst du auch deine Zwangsjacke ablegen.

Bislang gab es dafür den Fluchtpunkt Dialekt. Aber der ist für heute ein bißchen zu eng, denn mein Freund ist Türke, ein Schwarzer, ein Sinti und von da und dort, die Welt ist zu klein geworden für Dialekte.

Szene-Deutsch knipst dich am besten an.

Und da kannst du ruhig weiter in der Bank arbeiten, und nach Feierabend und am Weekend auf Sssssiehn machen. Na und? Das ist alles nicht so einseitig zu sagen, zu sehen, zu hören.

Zurück zu mir.

Gehe ich auf ein paar stundenlange Kaffees ins Münchner »Studio-Café« in der Ungererstraße, denn da sitzt immer rechts von der Tür der Hans, ein alter Penner, Landstreicher und wunderbarer Mensch aus Berlin, und dem habe ich mal einen Rucksack vom Waldtruderinger Müll-Container (von Marisa und Fred) für drei Mark organisiert, Hans ist eine Art Guru, ohne daß er es ahnt, also ich geh' da hin, Hans ist nicht zugegen, er holte sich gerade seine wöchentliche Stütze vom Sozialamt, und irgendwann lande ich auf dem Klosett.

Und lese »Micki Maus war eine Ratte«.

Dieser Satz hat mich umgehauen. Da kannst du deine komplette Bibliothek aus dem Fenster werfen. Dieser Satz reicht für dein ganzes Leben. Mehr Literatur braucht kein Mensch.

»Micki Maus war eine Ratte...«

Micki mit »i« hinten.

Wer hat das geschrieben? Unter uns – dem Hans würde ich das schon zutrauen. Lassen wir das.

Die größte Gesellschaftskritik aller Zeiten. Die kleine, süße, poussierliche Micky Maus, die sich in uns alle rein-geschmeichelt hat, jetzt sogar 50, noch dazu ein raffiniert gebrochen-kaschiertes Symbol der Stimme Amerikas ist – die war mal eine Ratte?

Eine zur sanften Maus geläuterte Ratte? Nö. Ratte bleibt Ratte. Sie kann doch nur vorgeben, eine Maus zu sein. Alle fallen auf sie rein, wir werden der Ratte zum Fraß vorgeworfen und glauben, sie sei Micky, die lustige Maus...

Etwas kühn verallgemeinert – alle Vokabeln, die aus der »Tagesschau«, aus »Heute« auf dich und mich niederprasseln, sind, Scherz muß sein, sogenannte Micky Mäuse. »Waldsterben«? Eine pathetische Romantik! Was um uns herum läuft, ist »Waldkillen«! Politiker sprechen Micky Mäuse. »Befriedigende Gespräche in sachlicher Atmosphäre?« Das ist Micky und heißt im Klaro-Text, daß nichts rausgekommen ist. »Nachrüstung?« – Alles Micky!

»Micki Maus war eine Ratte.« Eine charmante, witzige, fast unauffällige Aufforderung, mal darüber nachzudenken, für wie dumm du verkauft wirst.

Oder ist dieser Satz einfach eine gemeine Lüge und Diffamierung?

Seit fünfzig Jahren ist die amerikanische Maus von diesem Planeten nicht mehr wegzudenken. Und da schleicht ein unbekannter Freak und Sponti in das Münchner »Studio-Café« und kritzelt diese Jahrhundert-Enthüllung an die Wand des Männerklos?

Durchaus möglich, daß sein Motiv ganz simpel war. Mit irgendeinem Problem kollidierte er mit seiner Keep-smiling-Umwelt, er ahnte, daß hinter den lieb-harmlosen Grimassen seiner poussierlichen Mitmenschen was anderes steckte, als sie christlich und nächstenliebend vorgaben. Immerhin haben wir, oder unsere Väter, noch vor ziemlich kurzer Zeit sechs Millionen Juden ermordet, halb Europa in Schutt und Asche gelegt, und auch im demokratischen Heute lassen wir keine Gelegenheit aus, anders Denkende, anders Empfindende, anders Aussehende, anders sich Gebende, anders Glückliche unserem rattengeilen Ordnungssinn zu unterziehen. Noch nie war die Toleranzgrenze des Alltagsmenschen so minimal. Wir können reden, wie wir

wollen, wir sind eine Nation der deutschen Schäferhunde.
Chappi, kläffen, beißen, rot sehen, Blut sehen und dann schön brav sein.

»Micki Maus war eine Ratte...«

Interessant ist, daß gerade der, der am Ende der Schlange steht, über die anderen am Ende der Schlange tollwütig herfällt. Es will mir nicht in den Kopf, daß gerade der arme deutsche Schlucker über den Türken neben ihm geifert. Rattenleben. Nicht Mäuseleben mit Sweet-Daisy und Ulk-Donald.

Wie ist es mit unseren Richtern, Ordnungshütern, Meinungsmachern? Wie gehen wir mit Unbequemen, Außenseitern, Gestrauchelten, mit unseren schwarzen Schafen und verlorenen Töchtern und Söhnen um?

Ist BRD-Deutschland das Entenhausen der fröhlichen Zärtlichkeit und Nächstenliebe?

Einer behauptet nein. Der mit Filzschreiber den Schrei »Micki Maus war eine Ratte« auf dem stillen Örtchen gekritzelt hat. Höhlenmalerei 1984.

Ein Spontispruch unter Zigtausenden, die jeden Szene-Treff in Stadt, Dorf und auf dem Land zu begehbaren Pamphleten machen. Nicht mal quatschen mußt du dort, geh pinkeln oder scheißen, und es kann leicht passieren, daß der Geist der Wahrheit in dich fährt...

Es ist wie mit jedem Baum, der seine Wurzeln nun mal unten, tief unten, hat. Oben in der strahlenden Sonne prasseln die Gifte auf ihn ein, und die sickern natürlich auch in den Boden ein, ins Grundwasser. Die sonnigen Vergiftungserscheinungen sind auch im Sub-Deutsch zu spüren. Aber ehrlich und explodierend und Alarm schlagend.

Schreiend!

Um Hilfe schreiend!

Wo, bitte, geht's hier lang zur Sssssssiehn?

Ich war wieder mal in Berlin, ist nun mal die Sub-Metropole des vereinigten Orbits, ging um die Häuser, um Baby

Ben zu suchen, meinen Sprachlehrer der frei- und losgelösten Art, Mr. Ssssssiehn, immerhin startete Berlins Stadt-Illustrierte »Zitty« mit ihm in Großaufnahme vor Jahren auf dem farbigen Titelbild, well, ich traf ihn nicht, wahrscheinlich, weil ich ihn treffen wollte, mit autorischem Hintergedanken, so suchte ich mir einen anderen Mr. Sssssiehn (vielleicht ist Baby Ben längst in Oregon und wäscht göttliche Rolls-Royces – obwohl – Baby Ben hinkt niemals hinter was her...).

In dieses Buch gehört nun mal ein Intim-Sponti des ungebremsten Schaums.

So kam ich auf die mystische Wattstraße ölf bis zwölf. Alternativpresse blüht überall, aber regional. Die »tageszeitung«, besser: taz, sprießt und knospet und wuchert überregional. Sie hängt am Luftschlauch der Szene-Sauerstoff-Flaschen. Und zwar handfest, druckfrisch, täglich und nächtlich.

Ich also hin.

Hier nun reiche ich meinen Griffel weiter an einen Autor, der ganz heavy drauf ist. Also, liebe(r) Freund(in), vergiß alles, was du bis hierhin gelesen hast – ach, nö, alles bitte doch nicht, wäre scheißgelogen! –, ab jetzt zeichnet für jeden einzelnen Sponti-, Freak- und Sub-Buchstaben der verantwortlich, der seit zehn Jahren im Halbschatten von Berlin-Esso 36 da und dort und am Leben ist.

Mathias Bröckers, »taz«-Redaktor im Nah- und Fernbereich Kultur, schreibt exklusiv für dich direkt aus sich heraus. Ich habe ihm garantiert, als ich ihm in seiner romantischen Chaos-Stube gegenübersaß, daß sein Script ungeniert und unfrisiert in dieses Buch marschiert.

Umgang mit Sprache. Umgang mit Szene-Sprache. Eine Stimme aus Sub-Berlin, aus taz-intern, erhebt sich.

Mathias Bröckers am »Tatort Wort«!

4

»...am Tatort Wort...«

von »taz«-Redaktör

Mathias Bröckers

»Wenn *ich* ein Wort gebrauche«, sagte Goggelmoggel in recht hochmütigem Ton, »dann heißt es genau, was ich für richtig halte – nicht mehr und nicht weniger.«

»Es fragt sich nur«, sagte Alice, »ob man Wörter einfach etwas anderes heißen lassen kann.«

»Es fragt sich nur«, sagte Goggelmoggel, »wer der Stärkere ist, weiter nichts.«

LEWIS CAROLL

»Ja, wie reden sie denn? Angesagt sind Sprüche: vom oberharten Punk aus Kreuzberg Esso 36 bis zum Schlagring schwingenden Hamburger Fußballfan. Kaum abgefahren, schon völlig ausgeflippt! Tierisch geil – so findet die Scene sich selbst . . .«

Mit diesen vor Kennerschaft strotzenden Sätzen wurde das erste deutsche Wörterbuch der Subkultur auf den Weg geschickt, »angesagt: scene-deutsch«, erschienen Anfang 1983.

Ein schmales Bändchen aus einem linken, pädagogischen Verlag (extra-buch), gedacht freilich nicht als linguistisches Scene-Zirkular, sondern als (Waren)Angebot an die 1. Kultur (Klasse).

Wenige Monate später schon hat der Slang der 80er Subkultur einen riesigen Sprung in einen großen Verlag (Econ) und von dort in die Bestsellerlisten gemacht: »Laß uns mal 'ne Schnecke angraben« hieß das Buch, herausgegeben nicht mehr von drei zumindest teilweise subkulturell angetouchten Freaks, sondern von einem Germanisten und Dipl. Psych.

Jetzt endlich, nach der Ausgrabung am Rande und dem Emporhieven durch die Wissenschaft, erfolgt die extrabreite Streuung:

Papa Heyne kommt mit »Von Anmache bis Zoff« – und sein Ulrich Hoppe in das Treibhaus der Berliner »tageszeitung«, dorthin also, wo er und andere eine Brutstätte der Scene-Sprache vermuten.

Was aus den rhizomartigen Verstrickungen, Bewegungen, Zusammenstößen der Scene an Sprache wölkt, läuft hier, so scheint es vielen, zusammen, wird gedreht, gegengeWENDEt, ausgebrütet endlich vor den Schreibtischen und Satzgeräten und sodann rigoros verbraten.

Und wirklich vergeht auch kaum eine Woche, in der nicht irgendeines der etablierten Medien irgendein Fundstück aus der »taz« präsentiert: nicht die Bekennerbriefe und Kommandoerklärungen, die dort ebenfalls zu finden sind (sprachlich allerdings meist vollkommen dumpf), sondern witzige, fetzige, treffende Formulierungen und Gedanken.

Vor allem den Kollegen unter den Lesern – von »stern« bis »Frankfurter Rundschau« – wird der Morgenkaffee köstlich versüßt, wenn sie, am Tag der Anklageerhebung in der Parteispendenaffäre, die Headline lesen: »Lambsdorff ins Knie geflickt«.

Wenn aus dieser Freude freilich Übermut entsteht, folgt dem Morgenlacher gleich der Wermutstropfen.

Als »Rundschau«-Redakteure im Zuge der warmen Vibrations des »Falls Kießling« – »Kohl hält Wörner die Stange« texteten, ließ die Chefredaktion die schon angelaufenen Druckmaschinen zwecks Änderung stoppen ...

Manchmal gelingt es der »taz« auch, das Medienspektrum in seiner vollen Bandbreite zu begeistern, bis hin zu Springers »Welt« und Burdas »Tunte« (Kein Tippfehler – mit T wie Toni. Der mitlesende und nicht redigierende Autor U. H.).

Dies vornehmlich dann, wenn es sich um Respektierlichkeiten aus dem linken Familienleben handelt.

Anläßlich der Busengrapscher-Affäre des grünen Abgeordneten Hecker beispielsweise fingierte die »taz« eine Anzeige, in der die Grünen ein T-Shirt mit der Aufschrift »Don't hecker me« anboten. Die Redakteure der »BILD«-Zeitung griffen diese Idee auf, ließen solch ein T-Shirt herstellen und zogen es zwecks Ablichtung einem Fotomodell über.

Soweit, so gut, wenn es auch nicht im Sinne der Erfinder war, die Phantasielücken der Bild-Redakteure zu füllen und zur Illustration eines hämischen Artikels beizutragen.

Die Rückseite des T-Shirts allerdings, die sich die »Kollegen« dazu ausdachten und die ebenfalls abgebildet war, zeugt von der aggressiven Mattköpfigkeit dieser Schurnalisten: »Please hecker me!« stand da zu lesen – aus einer Kritik an mackerhaftem Gebaren wurde ein Aufruf zur (Ver)Gewalt(igung)!

Dieses Beispiel zeigt, wie es mit dem Umgang mit der Sprache der Subkultur und mit dem Verhältnis von 1. und 2. Kultur bestellt ist.

Was im »Untergrund«, aus den Rhizomen der Subkultur, wild, spontan, wuchernd, als Unkraut wächst, das wird von oben vereinnahmt, zur Kultur, zur Kunst, deklariert, von der Wissenschaft kategorisiert, definiert, objektiviert – kultiviert eben.

Daß das Unkraut auch instrumentalisiert und gegen die eigene »Familie« gewandt werden kann – wie das Wörtchen »hecker« – ist die Ausnahme. In der Regel herrscht die Strategie der Vereinnahmung, die Einverleibung selbst der kantigsten, explosivsten, radikalsten Eruption in den Bauch der Multi-Kultur.

Die tiefgrundhochglanz-polierten »Graffiti«-Kunstbände waren einmal der »Aufstand der Zeichen«.

Der bigbandsynthi-gestylte »Beat« des ARD-Nachtpro-
gramms war einmal die »Rock 'n' Roll-Revolution«.

Die »stonewashed Jeans« waren einmal die Verweige-
rung von Mode.

Und.

Und.

Und...

Die Punks, zeitgenössische Ritter von der armseligen Ge-
stalt, hätten sich schon mit purer Scheiße ausstaffieren müssen, um ein Verschlucktwerden in den großen Bauch zu
verhindern.

Und selbst das hätte am Ende nichts genützt: Angesichts
der Accessoires, die jedes Warenhaus in seiner Punk-Abtei-
lung mittlerweile führt, wäre neben Ketten, Nadeln, Ratten
usw. auch synthetische Scheißhaufen durchaus denkbar.

Die Rasierklinge jedenfalls hat mittlerweile sogar schon
die hehren Gefilde der Suhrkamp-Kultur erreicht: Während
seiner Lesung beim Klagenfurter Literatur-Wettbewerb
ritzte sich der Suhrkamp-Autor Rainald Goetz mit einer Rasierklinge ein blutiges Mal auf die Stirn. Echtes Blut floß.
Die Frage, ob »Punk« oder »Simulation« kann sofort ver-
worfen werden: Die Tendenz der Vereinnahmung – als
Strategie der Simulation – macht den Unterschied zwischen
»echter« und »simulierter« Wirklichkeit hinfällig.

Reality is hard to find!

Bzw., um ein geflügeltes Wort der Nofutureianer zu rup-
fen: »Life ist a Xerox – you are only a copy!«

Zu deutsch: Der Schein vom Sein scheint Sein zu sein...

Leben als Kopie der Kopie der Kopie...

Welche Sprache entspricht einem solchen Lebensgefühl?

Eine, die selbst Kopie ist, stereotyp, einfach begrenzt
usw., also genau das, was die Linguisten als »restringierten
Code« bezeichnen?

In der Tat scheint es einigermaßen schwierig, mit dem
Vokabular von »Anmache« bis »Zoff« etwa das Habermas-

sche Modell der »Kommunikativen Kompetenz« zu entwerfen. Ein Versuch allerdings würde ein überraschendes Ergebnis erbringen: dasselbe nämlich.

Dies nicht, weil »ätzend« genauso viel oder wenig sagt wie »negativ«, sondern wegen des grundsätzlichen Dilemmas jeder Untersuchung von Sprache: dem Paradox, daß das Werkzeug und der zu bearbeitende Gegenstand identisch sind.

Der Linguist und Kommunikationsforscher muß sich darauf beschränken zu beschreiben. Eingreifen oder verändern kann er, da selbst ein Teil des Systems, nicht.

Daraus erklärt sich vielleicht das übergroße Interesse, mit dem sich die Sprachwissenschaft den Randgebieten der Sprache zuwendet: Deren Besonderheiten, Ecken und Kanten bieten besonders gute Ansatzpunkte für das Werkzeug, die Hoch-Sprache.

So standen denn auch die Hopi-Indianer und der Code der Proletarier am Anfang dessen, was heute Linguistik genannt wird.

Das »Normale« (die Standardsprache) konstituiert sich über die Abweichung.

Dies scheint mir, neben der Tendenz zur Vereinnahmung, ein weit wichtigerer Aspekt für das Interesse an der Subkultur-Sprache zu sein. Die vielfältigen, mal koketten, mal kritischen Hinweise auf die »andere« Sprache haben den nicht zu unterschätzenden Effekt, die offizielle Sprache als eben solche, als »normal« nämlich, erscheinen zu lassen. Der Verweis auf das »Skurrile« und »Bizarre« dieser Sprache von unten hilft, die Absurdität der öffentlichen politischen Rede vergessen zu machen:

Der atomare »Brennstab« suggeriert einen gemütlich knisternden Kaminscheit, »Nachrüstung« läßt an alles Mögliche denken, nur nicht an Krieg, und daß in einem »Entsorgungspark« hochgiftige Stoffe deponiert sind, kommt einem bei soviel Wohlklang völlig aus dem Sinn...

Wie tief die schleichende Sprachverhunzung und -manipulation nicht nur was Katastrophe (»Ernstfall«) und Krieg (»Verteidigungsfall«) betrifft, sondern auch im Alltag sich bereits eingefressen hat, zeigt uns der »Arbeitnehmer«, der zwar vornehm klingt, aber doch nichts anderes ist als der »Arbeiter«.

Beispiele für diese Sprachmanipulationen finden sich zigfach in jeder Nachrichtensendung.

Dennoch erscheinen die in diesem Buch aufgeführten Vokabeln sehr viel un-normaler als das, was z. B. unser pfälzisches Gesamtkunstwerk in Bonn und anderswo von sich gibt.

»Es genügt nicht nur, keine Gedanken zu haben, man muß auch unfähig sein, sie auszudrücken.« Diese unsterbliche Maxime Karl Kraus' paßt wie maßgeschneidert auf Herrn de Kohl, und dennoch findet die Masse der Bevölkerung es völlig normal und in Ordnung, was der gute Mann tagein, tagaus über Funk und Fernsehen erzählt.

Daß es ein Lexikon des »Kohl-Deutsch« bis heute nicht gibt, kann aber nicht verwundern:

Im Unterschied zum Geblubber der Scene, das auf ein wie auch immer begrenztes, entfremdetes Leben, aber immerhin überhaupt auf etwas verweist, haben die Phrasen des amtierenden Allgemeinplatzwarts jegliche Referenz verloren, sie laufen leer in der ko(s)mischen Dialektik des »sowohl – als auch«.

Wenn *das* die sprachliche Norm i. d. u. L. ist, dann kann die Konjunktur der Scene-Sprache genausowenig wundern wie der Umstand, daß ein großer Teil der Jungen die Chemisch Demokratische Union so ätzend findet, daß sie nicht einmal das Vokabular mit ihr teilen will.

Die Worte sind verbraucht, verlogen, desavouiert durch die Macht, die sie mißbraucht, sind großes Blabla und taugen nicht für den »persönlichen Ausdruck«.

Eine große Minderheit findet sich weder in der Politik noch in der Sprache repräsentiert und muß schon aus Selbsterhaltungsgründen zu neuen Ufern aufbrechen.

Im Unterschied zu den »alten« sind die neuen Worte ehrlich, jedenfalls solange sie »klein« bleiben, in der Umgebung, der Gruppe, der Clique, der Gang usw.

Ein Scene-Deutsch gibt es nicht, es setzt sich zusammen aus vielen Sprachen. Der Slang der Scene hat Selbstschutzcharakter wie die »Geheimsprachen« der Sinti/Roma, der Schwarzen, der Ganoven, es ist gesprochene Sprache und »echt« nur so lange, wie sie gewissermaßen »geheim« ist. Das heißt vor allem: nicht schriftlich fixiert.

Die Scene ist ein Kombinat von Connections, Gruppierungen, Beziehungen, die man zu einem nicht unerheblichen Teil als – dezent ausgedrückt – »nicht staatstragend« bezeichnen könnte.

Stichwort: Drogen/Politik/Kriminalität.

Drei Dinge also, für die die Jugend, zumal in harten Zeiten, schon immer aufgeschlossen ist und entsprechend auf der Hut sein muß: um nicht eingesperrt zu werden.

Aus dieser Situation entstehen die Worte, es handelt sich um action, Bewegung, nicht um Literatur.

Es sind kleine Göttinnen, kleine Götter, die ein Wort, eine Wendung in die Welt setzen. Ihre Persönlichkeit in *dieser* Situation mit *diesem* Wort überzeugt erst einen, dann zwei, bald übernimmt es die ganze Gruppe, irgendwann kommt ein Journalist, hört, schreibt auf, andere schreiben es ab, irgendwann, Jahre später landet es im Duden, zuerst mit der Klammer (umgangssprl.), dann eine Weile allein, viel viel später mit dem Zusatz (ungebrl.) – das Verfallsdatum.

Die Scene-Sprache aus den 50er und 60er Jahren ist heute mit wenigen Ausnahmen völlig absorbiert. Die seinerzeit provozierende Rede der »Halbstarken«, »Hippies«, »Studenten« wirkt stumpf, matt und harmlos.

Ein Film wie »Zur Sache, Schätzchen«, in den 60ern *der* Hit für locker-flockiges Gequassel, ist heute ein Anschlag auf die Gähnmuskeln und provoziert allenfalls mitleidiges Grinsen.

Anders als die Mode und auch die Pop-Musik, die sich rigoros in allen Schubladen bedienen und aus dem alten Muff neue Wellen kreieren, ist die Sprache auf Innovationen angewiesen.

Rumlaufen wie Peter Kraus oder Rudi Dutschke kann man heute durchaus. So reden aber auf gar keinen Fall!

Helmut »Coco« Schmidt an die deutsche Jugend: »Freaks! Tussis! Fans! Wenn dieser bescheuerte Planet seinen nächsten Trip um den Stern geröhrt hat, dann läuft, Fans, die Bundestagswahlkiste wieder voll durch. Der deutsche Plebs macht seinen Krakel darüber, welche Greise und Schleimis für die nächsten vier Jahre den Hohen Bonner Schuppen drücken – und welche dicht oder die Mücke machen müssen. 1980, da kannst Du heute schon arschklar drauf abfahren, wird dieses Kackland unheimliche Vibrations kriegen...«

Sprachartisten wie der Schriftsteller Eckard Henscheid ist mit einem Lexikon der Scene-Sprache wenig gedient. Sie haben sich in den Sound hineingehört und spinnen den Faden mit Hilfe ihrer Fantasie weiter.

Dem »native speaker«, dem Freak, braucht man mit Wörterbüchern ebenfalls nicht zu kommen. Der spricht, wie er Bock hat, und sonst gar nicht, schon gar nicht nach Büchern. Bleibt also der »Normalo«, derjenige also, der nicht mehr »in« ist, aber auch noch nicht »out« sein und deshalb verstehen will, was Sache ist.

Doch dafür ist es mit einer Erklärung der Vokabeln nicht getan.

Der Reisende, der in einem fremden Land seinen Langenscheidt studiert, erfährt erst dann was, wenn er sich auf die Socken macht und *erlebt*.

Wörterbücher wie dieses sind ein Indiz dafür, daß es sich bei der Jugend-Szene um »Ausland« handelt. Und zwar um eines, das im Unterschied zur DDR, zur Schweiz, zu Österreich vielen so fremd geworden ist, daß sie sich einen Sprachführer besorgen.

Sinnvoll ist diese Anschaffung aber nur, wenn sie wirklich für eine Expedition ins Innere des Jungen Deutschland genutzt wird – wobei es sich freilich empfiehlt, das Wörterbuch zu Hause zu lassen. (Ein blätternder »Tourist« auf einer Parkbank zwischen einer Horde Punks würde nicht nur einen Lachsturm unter den Passanten entfachen, er bekäme auch schnell die – geleerten – Bierdosen an den Kopf, mit denen er sich zuvor die Gunst der »Ausländer« erkauft hat.)

Der »Tourist« wird sich auf fast schon in Vergessenheit geratene Fähigkeiten besinnen müssen: das Radebrechen, Kauderwelschen, Stottern und Stammeln – und dabei vielleicht mehr über sich als über die anderen erfahren und Eigenes im Fremden entdecken.

Wem solche Exkursionen zu gewagt erscheinen – wer rüttelt schon gerne an seiner mühsam zusammengebastelten Identität –, der könnte *eine* Botschaft auch beim Vokabel-Studium aus der sicheren Distanz des heimischen Sofas mitnehmen: daß dem sprachlichen Selbstmord (durch die schleichende Sprachverhunzung in und um uns) nur entgeht, wer mit der Sprache, den Worten, spielt.

Voraussetzung dafür ist Aufmerksamkeit für die öffentliche Rede.

Wachsamkeit am Tatort Wort.

P. S.: Vielleicht vermißt du an meinem Text etwas die »Betroffenenberichterstattung« desjenigen, der täglich und »berufsmäßig« mit dem Geblubber und Gequassel der Scene umgeht.

Nun, dazu ist einfach zu sagen, daß die »taz«, abgesehen von ein paar Flipps, eine sprachlich – und auch sonst – ziemlich normale Zeitung ist.

Was ist von der Scene-Sprache weiß, habe ich nicht aus Artikeln in der Redaktion, sondern in den letzten 10 Jahren hier in SO 36 gelernt.

Es wird gesprochen, nicht geschrieben! ✗

Selbst einer, der ausschließlich die in diesem Buch aufgeführten Vokabeln spricht und kein normales Wort in den Mund nimmt, fällt, wenn er zu schreiben beginnt, in irgendwelche Konventionen zurück und läßt allenfalls ab und zu etwas von seiner Klasse aufblitzen.

Gelungene Beispiele »scene-deutscher« Literatur gibt es nur wenige.

Ob das ein Glück ist (weil wir uns eh wieder viel mehr erzählen müßten, statt zu schreiben) oder zu beklagen (weil unsere lahmarschige Literatur dringendst ein paar kräftige Kicks gebrauchen kann), weiß ich nicht.

Eins sollte allerdings auch für uns Schreiber gelten: Wenn der »Sprecher« seinen Sinn verliert, ist der »Ver-Sprecher« ein positiver Wert.

Berlin, 4. 4. 84

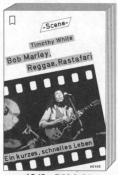